LE LIVRE QU'IL VOUS FAUT POUR REUSSIR SUR INSTAGRAM.

**Le livre qu'il vous faut pour réussir
sur Instagram**
est édité par Pyramyd éditions
www.pyramyd-editions.com

© 2017 Laurence King Publishing Ltd
Texte © 2017 Henry Carroll

Texte français
© Pyramyd éditions, 2017

Édition française : Céline Remechido
et Christelle Doyelle
Traduction : Aurélien Ivars
Correction : Marine Perrier
Adaptation de la couverture : Philippe Brulin

ISBN : 978-2-35017-401-3
Dépôt légal : 1er semestre 2017
Imprimé en Chine

LE LIVRE QU'IL VOUS FAUT POUR REUSSIR SUR INSTAGRAM.

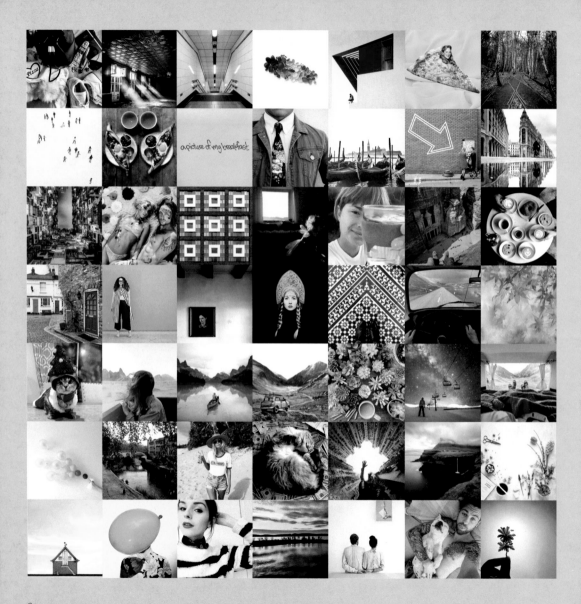

Alors comme ça, vous rêvez d'être la nouvelle star d'Instagram ?

Rien de plus facile. **1**) Rendez-vous dans un café. **2**) Commandez une salade. Mieux, une salade de chou kale. **3**) Grimpez sur votre chaise, prenez une photo, et voilà, vous et votre #SALADEDECHOUKALE allez récolter des millions d'abonnés ! Vous deviendrez certainement très vite ami avec @KYLIEJENNER, #BFF.

Évidemment, si cela suffisait pour réussir sur Instagram, ce serait un peu facile. Pour réaliser de belles photos et avoir un profil original, il faut bien sûr être passionné, créatif et audacieux, mais aussi savoir publier ses images avec stratégie.

Un compte à succès, c'est avant tout une série de photos parfaitement maîtrisées.

Dans ce livre, 50 utilisateurs parmi les plus suivis d'Instagram vous dévoilent leurs secrets : ils vous expliquent eux-mêmes comment devenir célèbre sur le réseau. Faire de meilleures photos, développer son style, travailler ses relations ou attirer les marques, ces connaisseurs vous détaillent tout. Découvrez de quelle façon @DANIELLEPEAZER, star de la mode et du fitness, a dépassé le million d'abonnés, ou comment @TASTEOFSTREEP a réussi à récolter plus de 100 000 *followers* en quelques semaines. Suivez les conseils de @SYMMETRYBREAKFAST si vous êtes un fin gourmet, ou ceux de @HELLOEMILIE si l'aventure vous fait vibrer.

Quelle que soit l'inspiration qui vous guide, ces précieux conseils vous aideront à conquérir rapidement votre public et à créer un compte dont vous serez fier. Vous n'aurez plus alors qu'à démissionner pour parcourir le monde, tous frais payés !

@DANIELLEPEAZER
Danielle Peazer
Nombre d'abonnés :
> 1,2 M

Ses inspirations :
@eimearvarianbarry
@sincerelyjules
@victoriametaxas

Alliez l'utile à l'agréable

Les gens aiment les images qui leur parlent. Si vous voulez plus d'abonnés, trouvez un équilibre entre photos personnelles et photos professionnelles (sponsorisées ou non). Si votre profil n'en est qu'à ses débuts, identifier des hôtels et des compagnies aériennes sera pour vous un bon moyen de développer vos contacts professionnels. Si vous êtes en vacances, montrez la marque des vêtements que vous portez quand vous allez vous balader. Lors d'une publication sponsorisée, j'échange avec mon client pour la personnaliser et pour créer un contenu qui soit satisfaisant pour nous deux. C'est à vous de savoir quelles images vont plaire à vos abonnés.

Mon parcours

J'ai créé mon compte en 2012 par simple curiosité. Au bout d'un moment, certains abonnés m'ont demandé d'où venaient mes vêtements, d'autres voulaient des conseils en matière de mode. C'est là que j'ai réellement pensé à en faire un métier. À mon avis, les gens aiment le mélange entre photos professionnelles et images plus personnelles, avec des amis. Je ne travaille qu'avec les marques que j'apprécie vraiment : l'authenticité est en effet plus importante pour moi que le fait de gagner de l'argent.

Captez la bonne lumière

Il suffit d'un éclairage différent pour qu'un lieu familier apparaisse sous un jour nouveau. J'ai souvent l'impression d'avoir tout photographié dans ma ville, et pourtant, selon les conditions de lumière, l'ambiance d'un endroit peut changer complètement. Quand vous allez quelque part, retournez-y plusieurs fois à différentes heures de la journée, à différents moments de la semaine, et même à différentes saisons. C'est grâce à cela que les gens aimeront vos photos.

Mon parcours

En 2010, quand j'ai installé Instagram, je cherchais simplement une application pour partager des photos amusantes avec un ami. Jamais je n'aurais imaginé à quel point cela changerait ma vie. Je me suis rapidement découvert une vraie passion pour la photographie, et c'est devenu mon travail quotidien. Instagram a aussi complètement transformé ma façon de voyager. Où que j'aille, il y a toujours quelqu'un pour prendre un café avec moi ou pour me faire découvrir les environs. À mes yeux, c'est vraiment ce qui compte le plus.

@THOMAS_K
Thomas Kakareko
Nombre d'abonnés :
> 661 k

Ses inspirations :
@cirkeline
@sionfullana
@koci

@MISSUNDERGROUND
Jess Angell
Nombre d'abonnés :
> 50 k

Ses inspirations :
@mrwhisper
@13thwitness
@underground_nyc

Prenez la bonne ligne

Pensez à varier l'angle de vos photos. Tenez votre appareil ou votre smartphone en hauteur ou au ras du sol pour découvrir des perspectives originales et pour jouer avec. Cherchez des lignes fortes, comme des murs, des escaliers ou des rambardes, afin de pousser le regard à plonger dans votre photo. Des lignes qui filent vers le centre du cadre sont efficaces pour capter l'attention. Si vous aimez les images géométriques, n'oubliez pas de tenir votre appareil bien droit, parallèle à votre sujet, pour éviter de déformer les angles.

Mon parcours

En 2012, j'ai créé **@MISSUNDERGROUND** avec pour seul but de publier mes images du métro londonien, que j'ai toujours adoré. Tout a basculé en 2013, lorsque le blog d'Instagram a repris mes photos. Je suis passée de 8 000 à 24 000 abonnés en un seul jour. Le fait de photographier le plus simplement et le plus symétriquement possible les différents espaces du métro, les escaliers mécaniques et les tunnels est désormais une véritable obsession. J'essaie de le faire tous les jours, mais, parfois, il y a vraiment trop de monde autour de moi !

Variez sur le même thème

Le style de votre compte doit être très cohérent, et ce, tant dans les couleurs que dans son contenu. Cela donne une identité immédiatement reconnaissable parmi toutes les images qui défilent sur Instagram. Varier les filtres et les effets, c'est tentant, mais cherchez plutôt à garder les mêmes applications et les mêmes techniques pour retoucher vos photos. J'ai tendance à ne pas utiliser de filtre : je préfère éclaircir et ajuster le contraste, les ombres et la chaleur avec l'application PicTapGo. Si vous aimez le minimalisme, pensez à la façon dont vos images vont s'afficher côte à côte. Je laisse un espace monochrome autour de mes compositions les plus denses afin qu'elles puissent respirer.

Mon parcours

J'ai toujours adoré fabriquer des souvenirs : faire des photos de famille, collectionner de petits trésors pour les associer à des choses trouvées dans la nature... Je passe énormément de temps à la plage, à glaner des objets pour les photographier. Au début, je les montrais sur mon blog, mais Instagram est plus spontané, il n'y a pas besoin de beaucoup de texte. Et puis, j'ai eu la chance d'apparaître dans les suggestions d'utilisateurs, ce qui m'a apporté beaucoup d'abonnés. Aujourd'hui, publier des photos sur Instagram fait partie de mon quotidien ; c'est un moyen de prendre un peu de temps pour moi, à l'écart de ma famille et de mon travail.

@CAROLINE_SOUTH
Caroline South
Nombre d'abonnés :
> 107 k

Ses inspirations :
@5ftinf
@pchyburrs
@spielkkind

@SERJIOS
Serge Najjar
Nombre d'abonnés :
> 82 k

Ses inspirations :
@janske
@joseluisbarcia
@kristinenor

Ayez le compas dans l'œil

Le meilleur conseil à donner est, me semble-t-il, d'apprendre à regarder. Commencez par observer votre quartier d'un nouvel œil. Cherchez les détails cachés, soyez attentif aux changements de lumière et privilégiez les instants où les personnes sont bien placées dans l'espace. Je n'utilise pas vraiment de *hashtags*. Concentrez-vous sur la photo, évitez tout ce qui peut détourner l'attention (comme trop de *hashtags*, justement). Mes images ont toutes un titre, mais c'est le maximum que je m'autorise.

Mon parcours

Je suis né au Liban, à Beyrouth. Je suis docteur en droit et j'exerce en tant qu'avocat. J'ai commencé à publier sur Instagram en 2011, et, rapidement, plusieurs galeries m'ont contacté (je suis représenté par la galerie Tanit depuis 2012). J'ai remporté le concours Photomed Liban en 2014, et mes photos peuvent être vues dans plusieurs salons internationaux, comme Paris Photo. Depuis le début, je veux montrer à quel point la frontière entre l'ordinaire et l'extraordinaire est ténue. En portant un regard nouveau sur notre environnement, il nous est possible de tirer un peu plus notre quotidien vers l'art.

Libérez votre excentricité

Oubliez ce que les gens pensent. Faites-vous plaisir et faites-le pour vous. Écoutez votre intuition et ne refoulez pas vos envies. J'adorerais pouvoir dire que j'avais tout prévu, mais j'ai juste créé ce compte pour mes amis, et je n'en reviens toujours pas qu'il soit devenu si connu. Mes images sortent un peu de nulle part : c'est pour cela qu'elles ont si vite attiré autant d'attention. Avec le recul, je pense que tout est une question d'originalité.

Mon parcours

J'ai 25 ans. Je suis actrice, illustratrice et graphiste. Je viens du sud de la Floride, mais je vis à Brooklyn. Je ne sais plus vraiment pourquoi j'ai créé ce compte. Un jour, je suis tombée sur une grande photo de Meryl Streep dans le film *She-Devil, la diable*. Elle était vêtue de rose, et j'ai eu envie de la coller sur le glaçage d'un beignet à la fraise. C'était en novembre 2015. Deux mois plus tard, en me réveillant un matin, j'ai décidé de faire un compte entièrement consacré à Meryl Streep avec de la nourriture. Cela a déclenché une espèce de « folie virale » et plusieurs marques de produits alimentaires m'ont contactée (je ne refuse jamais quand on m'offre à manger !).

@TASTEOFSTREEP
Samantha Raye Hoecherl
Nombre d'abonnés :
> 158 k

Ses inspirations :
@bethhoeckel
@officialseanpenn
@pipnpop

@BERLINSTAGRAM
Michael Schulz
Nombre d'abonnés :
> 465 k

Ses inspirations :
@ecolephoto
@efi_0
@mr_sunset

Faites-vous un nom

Si vous débutez sur Instagram, un conseil : vérifiez que votre nom d'utilisateur est disponible sur d'autres réseaux sociaux, comme Snapchat, Facebook, Twitter ou Tumblr. Instagram n'est qu'une plateforme parmi d'autres ; vous aurez beaucoup plus de réactions de la part de vos abonnés si vos différents comptes s'alimentent entre eux. Avoir un nom cohérent permet d'être facilement trouvé. Il faut également qu'il soit pertinent. Avec le mien, **@BERLINSTAGRAM**, j'ai attiré beaucoup de *followers*, car ils savaient à quoi s'attendre : des photos de Berlin. Aujourd'hui, ce pseudonyme est un peu limité. Je voyage bien plus souvent, et on me fait parfois remarquer qu'il ne s'agit plus de Berlin. Néanmoins, les gens comprennent facilement qu'un compte doit évoluer pour se développer.

Mon parcours

J'ai installé Instagram deux semaines après sa mise en ligne, à l'automne 2010. Je ne m'en suis servi que lorsque j'ai découvert des applications de retouche d'images. J'étais fasciné par le fait de pouvoir prendre des milliers de photos gratuitement. Aujourd'hui, mes premiers clichés me font rire : mauvais filtres, faible résolution, compositions étranges… Il y a deux ans, j'ai quitté mon poste dans la publicité. Grâce à cette expérience et à mon expertise au sujet d'Instagram, je travaille à présent comme consultant pour les marques : je crée notamment des campagnes et du contenu marketing. Je pense que les smartphones et les applications de retouche, alliés au réseau social qu'est Instagram, ont véritablement permis de démocratiser la photographie.

Perfectionnez votre profil

Commencez par paramétrer votre compte pour que tout soit absolument parfait. Plusieurs impératifs sont à respecter : le but est de donner une bonne image de vous-même, mais aussi de favoriser les réactions de vos abonnés.

Votre nom d'utilisateur

La première impression se fait bien souvent par rapport au pseudonyme : il faut donc qu'il soit cohérent avec le contenu que vous publiez. Idéalement, il doit être aussi pertinent que percutant, mais comme tous les noms faciles sont déjà pris, il va falloir être créatif. @BERLINSTAGRAM est un très bon exemple (cf. p. 20). Si le vôtre n'est pas disponible, ajoutez des tirets bas. C'est aussi un moyen de séparer les mots et d'être plus lisible, comme @ME_AND_ORLA (cf. p. 50). Plus votre nom est court, mieux c'est : certaines plateformes ont en effet pris le parti de limiter le nombre de caractères.

Votre photo de profil

Cette photo, c'est votre logo : optez pour une image claire et tout de suite reconnaissable. Évitez donc les compositions chargées : les détails ne se voient pas sur un si petit format. S'il s'agit de votre portrait, à vous de décider si vous devez sourire ou non, pour tout de suite donner un indice concernant l'ambiance de votre compte.

Votre biographie

À moins de vouloir rester anonyme comme @BREADFACEBLOG (cf. p. 42), indiquez votre nom et votre prénom dans votre biographie pour avoir l'air plus accessible. Soyez concis. Les émoticônes constituent un bon moyen d'économiser des caractères et d'exprimer quelque peu votre personnalité. L'anglais est la langue la plus répandue sur Instagram ; si vous visez un public international, utilisez à la fois l'anglais et votre langue maternelle.

Les petits plus

Si vous voulez être contacté facilement, ajoutez votre e-mail. Créez une adresse spécialement dédiée à votre compte, car plus vous aurez d'abonnés, plus vous aurez de spams. Indiquez votre site web, votre blog ou d'autres réseaux sociaux (comme Snapchat) pour augmenter leur fréquentation. Cela permet aussi de montrer aux entreprises que vous êtes actif sur plusieurs plateformes. N'oubliez pas de mettre à jour ces informations.

Abonnez-vous

Si les gens aiment votre compte, ils iront voir quelles personnes vous suivez pour trouver des profils similaires. Vos abonnements sont une extension de votre biographie, ils reflètent vos centres d'intérêt. Ne suivez pas n'importe qui, et ce, surtout si vous démarrez. Votre fil d'actualité ne vous intéressera pas, et votre identité ne sera pas assez clairement définie.

La biographie parfaite

Évidemment, tous les contributeurs de ce livre ont parfaitement réussi à construire un profil efficace, en utilisant différentes techniques. Suivez l'exemple !

daniellepeazer

Danielle Dance/Fitness, Travel, Fashion, Life
👯 dpeazer 👑 @DaniellePeazer 👟 @reebokwoman
🎬 WATCH my new video ▶ youtu.be/47vAKJhpijo

helloemilie

Emilie Ristevski Forever wandering with a camera in my hand.
Currently in @tasmania | Snapchat > goodbyeemilie
info@helloemilie.com | **facebook.com/helloemilie**

ihavethisthingwithfloors

I Have This Thing With Floors When feet meet nice floors take a selfeet and use #ihavethisthingwithfloors. Curated from Amsterdam.
ihavethisthingwithfloors.com

tasteofstreep

taste of streep 🍿 because what more could you want? 🐾
tasteofstreep@gmail.com 🎬 Brooklyn, NY

Commentez avec bienveillance

La meilleure manière d'interagir avec vos abonnés sur Instagram est de leur écrire des commentaires. Si vous aimez une image, dites-le-leur ! Pour moi, chaque commentaire reçu est précieux, et je prends le temps de répondre sur le compte de son auteur. Plus qu'un simple merci, faites un retour constructif par rapport aux photos de cet abonné. Je considère que cette approche permet de tisser des relations plus fortes et d'échanger plus que de la gentillesse.

Mon parcours

Après un deuxième enfant et un déménagement à Hong Kong en tant que mère au foyer, j'étais en quête d'inspiration. En 2012, incapable d'apprendre à dessiner, j'essayais une nouvelle activité tous les mois. Un jour, j'ai été séduite par Instagram et je me suis découvert une passion pour la photographie. Le fait de trouver des idées, d'avoir des retours et des encouragements au quotidien a changé ma vie. Aujourd'hui, je peux dire que je suis devenue une photographe professionnelle. Ce n'est que le début de ma carrière, mais c'est vraiment très épanouissant.

@THATSVAL
Valentina Loffredo
Nombre d'abonnés :
> 79 k

Ses inspirations :
@cimkedi
@omniamundamundis
@serjios

@SYMMETRYBREAKFAST
Michael Zee
Nombre d'abonnés :
> 649 k

Ses inspirations :
@palestineonaplate
@thecuriouspear
@raretealady

Gardez bien votre cap

Vous ne pourrez jamais aborder tous les sujets ou essayer tous les styles sur votre Instagram. Concentrez-vous plutôt sur un thème qui vous passionne, et exploitez-le avec tout ce qui vous passera par la tête. Allez au musée et au cinéma, lisez des livres, observez le travail des designers, des photographes et des artistes, qu'ils soient contemporains ou plus anciens. Devenez un expert dans votre domaine, et les gens viendront d'eux-mêmes vers vous, en quête d'inspiration et de conseils. Soyez flexible et évoluez, mais ne changez pas de cap.

Mon parcours

J'ai créé **@SYMMETRYBREAKFAST** en 2013, pour Mark, mon compagnon. Ma passion pour la cuisine vient de mes parents et de mes origines anglaises, écossaises et chinoises. Plus jeune, je passais mes week-ends et mes vacances à travailler dans les restaurants de *fish and chips* de mon père. J'ai aussi appris la pâtisserie, car ma mère adore cela. Mark a un emploi très prenant : le petit-déjeuner est donc un moment privilégié pour nous. Tous les matins, j'ai pour mission d'en faire un véritable événement. Plus de 800 petits-déjeuners plus tard, je suis toujours en cuisine dès le lever du jour, pour le plus grand plaisir de Mark !

Sortez des sentiers battus

Suscitez la curiosité en créant quelque chose d'atypique. C'est ce que j'ai fait en publiant des notes manuscrites sur une plateforme pourtant dédiée à la photo. Lorsque vous réalisez des images, ne réfléchissez pas à combien de *likes* ou de *followers* vous allez récolter. Exprimez-vous et devenez le meilleur dans ce que vous faites. Tout le reste suivra, car les gens se retrouveront dans vos publications. Il y aura toujours des gens réceptifs à la nouveauté. Ce sont eux, les abonnés qu'il vous faut.

Mon parcours

À première vue, **@SATIREGRAM** est une parodie du comportement typique de l'utilisateur d'Instagram. Au fond, c'est une réflexion sur notre rapport aux réseaux sociaux. Dans la quasi-totalité de ce que nous publions, nous cherchons tous à contrôler la façon dont nous sommes perçus : nous sélectionnons minutieusement les meilleures images, comme une sorte de « best of » de nous-mêmes. **@SATIREGRAM** dévoile l'envers du décor, la personnalité qui se cache derrière l'objectif et ses véritables intentions au moment de la photo. Je ne me soucie pas des *likes*, des abonnés ou de la notoriété, je le fais pour la beauté du geste. Cela permet aux gens de rire d'eux-mêmes, et j'espère que mes petits mots les inciteront à faire mieux que les clichés que je décris.

@SATIREGRAM
Euzcil Castaneto
Nombre d'abonnés :
> 155 k

Ses inspirations :
@brooklyncartoons
@_eavesdropper
@thewriting

a picture of my breakfast.

a picture of a salad I'm having for dinner. I made sure to crop out the big bottle of ranch dressing that I'm going to pour all over this plate...

a cliché picture of an airplane wing through the window because I'm flying somewhere.

mirror selfie at the gym to show off my new workout outfit...

@THEDRESSEDCHEST
Rainier Jonn Pazcoguin
Nombre d'abonnés :
> 168 k

Ses inspirations :
@brothersandcraft
@fmuytjens
@thepacman82

Soyez honnête et distinguez-vous

Si vous voulez mon avis, être aussi sincère que possible est essentiel. Quand quelqu'un publie pour attirer les abonnés plutôt que pour parler de ses passions, c'est souvent flagrant. Mon compte se distingue de ceux généralement dédiés à la mode, car je mets un point d'honneur à rester anonyme. Je ne suis pas le plus bel homme du monde ; le fait de ne cadrer que les vêtements permet à mes abonnés de mieux se glisser dans ma peau.
À partir du moment où vous avez une bonne idée et que vous soignez la qualité de vos photos, vous pouvez être sûr que ceux qui partagent vos centres d'intérêt finiront par vous suivre.

Mon parcours

J'ai créé mon profil Instagram début 2014. Je voulais garder une trace des vêtements que je porte au quotidien, et montrer mes tenues à ceux qui sauraient les apprécier. Je suis ingénieur logiciel, et mon style passe souvent inaperçu sur mon lieu de travail. Ce que j'aime le plus avec mon compte, c'est qu'il me donne la possibilité, à moi, simple programmeur informatique, de me glisser dans la peau d'un nouveau personnage.

@GMATEUS
Gabriela Mateus
Nombre d'abonnés :
> 202 k

Ses inspirations :
@dansmoe
@brahmino
@nicanorgarcia

Créez une minisérie

Trouvez un fil conducteur pour créer une petite série. Elle peut par exemple traiter d'un voyage ou d'un lieu en particulier, ou bien s'organiser autour d'un thème ou d'une palette de couleurs. Votre compte sera d'autant plus attrayant que l'on aura envie de découvrir où votre histoire nous mène. Écrivez des légendes amusantes ou intrigantes pour créer une narration, pour exprimer vos sentiments ou faire part de vos impressions. Racontez des anecdotes et posez des questions afin de provoquer une réaction de la part de vos abonnés. Par exemple : « Savez-vous pourquoi les maisons de ces photos prises à Venise sont si colorées ? Pour que les pêcheurs puissent les reconnaître dans le brouillard en rentrant chez eux. »

Mon parcours

J'ai d'abord créé mon compte pour partager des moments importants avec mes amis, mais quand j'ai commencé à publier des photos moins personnelles, au cours de mes voyages, j'ai eu de plus en plus d'abonnés. Par chance, j'ai été aidée par Instagram, qui m'a fait apparaître plusieurs fois dans les suggestions d'utilisateurs. J'ai étudié les sciences sociales et j'ai suivi une formation de photographe professionnelle. La photo reste pour moi une passion, et je m'y épanouis pleinement.

Soyez stupéfiant

Pour qu'une image marche bien sur Instagram, elle doit tout de suite faire effet. Si elle ne produit pas d'impact immédiat, l'utilisateur ne s'y arrêtera même pas une seconde. Une photographie bien composée doit laisser une trace et stopper net celui qui la regarde. Connaître les règles élémentaires de la composition, notamment celles du format carré, permet de faire toute la différence.

Mon parcours

En tant que professeur d'art, je suis sans cesse à l'affût de nouveautés créatives, et Instagram a lancé son application au moment où je commençais à m'intéresser à la photographie. J'ai travaillé pour la première fois avec des marques en 2012, quand je vivais au Moyen-Orient. Là-bas, peu de photographes étaient présents sur les réseaux sociaux, et c'est ce qui m'a permis d'être remarqué. En cinq ans, Instagram m'a énormément apporté. J'ai même eu la chance de voyager grâce à des offres de travail et à des invitations à rencontrer d'autres utilisateurs. Je m'étonne souvent de voir à quel point une simple application pour iPhone peut changer la vie.

@THE.HAT
Tim Hatton
Nombre d'abonnés :
> 80 k

Ses inspirations :
@kitkat_ch
@le_blanc
@twheat

Soignez la composition

Comme l'explique **@THE.HAT** à la page précédente, vous ne pouvez pas vous permettre de négliger la composition de votre image. C'est elle qui guide le regard du public dans le cadre. C'est exactement comme les mots d'une phrase. Si vous les mélangez n'importe comment, cela n'aura plus aucun sens. Au moment de créer votre image, l'objectif est de bien organiser ce que vous voyez pour en faire quelque chose de cohérent. Voici quelques secrets de composition indispensables pour éviter que vos images ne se noient dans un tsunami de *hashtags* et dans une marée de photos miniatures.

Les lignes fortes

Cherchez des lignes qui attirent l'œil dans l'image. Une route, un élément architectural, plusieurs objets bien placés, cela peut être n'importe quoi.

@BERLINSTAGRAM

Le premier plan

Une autre manière de guider l'attention dans une photo est d'être sûr d'avoir quelque chose au tout premier plan.

@OVUNNO

La règle des tiers

Au lieu de mettre votre sujet au milieu, créez une dynamique en le plaçant à un tiers de votre cadre. Si nécessaire, affichez la grille du menu « Ajuster ».

@PANYREK

Faire place nette

Laissez de l'espace autour de votre sujet pour le faire ressortir. Ne soyez pas fainéant : déplacez-le, ou bien déplacez-vous.

@DANIEL_ERNST

Le cadrage

Concentrez l'attention sur votre sujet en l'encadrant avec un premier plan, comme une porte ou des feuillages.

@LILYROSE

Les perspectives

S'il y a des lignes horizontales ou verticales dans votre composition, faites en sorte qu'elles soient bien droites. Suivez la grille du menu « Ajuster ».

@MACENZO

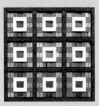

La symétrie

Utilisez une composition symétrique pour créer des images marquantes. Cela fonctionne à tous les coups !

@SYMMETRYBREAKFAST

L'espace négatif

Il s'agit de la zone « vide » autour de votre sujet. Elle permet de bien le délimiter et peut aussi dessiner des formes abstraites intéressantes.

@SERJIOS

Les angles inhabituels

Variez les points de vue de vos photos. Allongez-vous par terre ou prenez de la hauteur, bref, voyez le monde d'un œil nouveau !

@EDWARDKB

@NATHPARIS
Nathalie Geffroy
Nombre d'abonnés :
> 611 k

Ses inspirations :
@punkodelish
@seb_gordon
@serjios

Changez votre point de vue

Si vous faites des photographies de rue ou d'architecture, cherchez la contre-plongée, mettez-vous vous-même au ras du sol ! Vous aurez une perspective sur le quotidien que vos abonnés n'ont pas vraiment l'habitude de voir. En changeant de point de vue, vous faites apparaître des éléments de composition généralement invisibles. Servez-vous du reflet produit par les flaques d'eau, des lignes de fuite ou encore des bâtiments pour rendre vos images captivantes.

Mon parcours

Je vis à Paris, je suis directrice artistique et je travaille dans la communication visuelle. Il y a cinq ans, en découvrant l'univers d'Instagram, j'ai attrapé le virus de la photo et j'ai rencontré des gens adorables. Je suis une photographe de rue, j'aime capturer la vie de tous les jours. Pour moi, Paris est un immense terrain de jeu. Ses arrondissements sont tous très différents, et ils débordent d'architecture, de monuments ou encore de jolis petits cafés.

Imprégnez-vous d'art

Pour réussir sur Instagram, les comptes que vous suivez sont aussi importants que vos propres publications. Je cherche à suivre des gens qui font des choses dont je ne suis pas capable, pour pouvoir en tirer des leçons. C'est une source d'inspiration et de motivation : cela me donne des idées de sujets ou de lieux à photographier. Sortir d'Instagram est évidemment essentiel. Allez dans les galeries, les librairies, assistez à des spectacles : vous découvrirez d'autres pratiques artistiques et vous serez plus créatif sur le réseau.

Mon parcours

J'ai installé l'application peu de temps après sa sortie. Je partageais des photos de mes repas ou de mon quartier. Les choses ont changé lorsque j'ai commencé à suivre de très bons photographes de Londres. Je n'ai jamais cherché à avoir beaucoup d'abonnés, je voulais juste devenir un bon photographe. Travailler avec des marques ne m'était jamais venu à l'esprit avant 2014, quand un ami d'Instagram m'a demandé de participer à une campagne publicitaire pour Barbour. Depuis, tout s'enchaîne.

@EDWARDKB
Edward Barnieh
Nombre d'abonnés :
> 166 k

Ses inspirations :
@samalive
@vdubl
@visualmemories_

Cédez à vos pulsions

Obéissez à vos envies, à vos désirs les plus ardents, à ceux qui sont inoffensifs. L'ennui, la solitude, c'est ce que l'on ressent quand on se prive de petits plaisirs. Pourquoi tout devrait-il avoir un but ? Pourquoi tout ce que l'on fait devrait-il avoir un sens ? Qu'est-ce qui vous fait vraiment du bien ? Trouvez votre propre version de ce que je fais sur **@BREADFACEBLOG**, et ne le faites pas pour les *likes* ou pour la gloire sur Internet. Vous n'êtes même pas obligé d'en faire des photos. Faites-le par pur plaisir, et faites-le souvent. Vous vous sentirez mieux, et si des gens s'y retrouvent, alors tant mieux, c'est super.

Mon parcours

Vous allez être déçu, je le sais. J'ai créé mon compte parce que je pensais que cela ferait rire au moins quelqu'un. C'est tout. J'ai commencé à être très suivie, ce qui m'a plutôt inquiétée au début, mais je ne m'en suis pas plus préoccupée que cela. En fait, personne ne connaît ma réelle identité, à part quelques proches, et cela a rendu les gens encore plus curieux. Je reçois toujours des conseils sur la manière d'évoluer, de gagner de l'argent avec ce que je fais, mais je n'ai pas envie que cela devienne une obligation. Ce que j'aimerais, c'est écrire un peu plus et créer de beaux vêtements, mais ce qui me plaît pour le moment, c'est de mettre ma tête dans du pain, et j'accepte tout ce que les gens voudront me donner. Je veux juste m'amuser.

@BREADFACEBLOG
Bread Face
Nombre d'abonnés :
> 94 k

Ses inspirations :
@cool3dworld
@lazymomnyc
@_monica

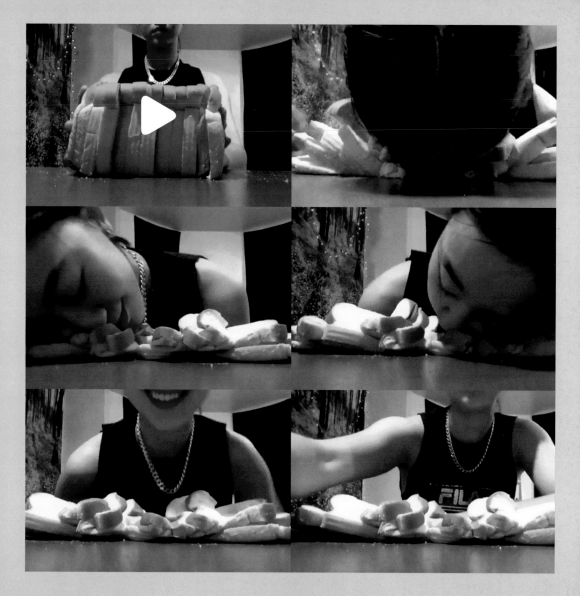

@SALLYMUSTANG
Sally Mustang
Nombre d'abonnés :
> 265 k

Ses inspirations :
@charcoalalley
@mitchgobel_resinart
@wolfcubwolfcub

Faites parler vos images

Les réseaux sociaux sont une immense vitrine artistique ; c'est un moyen de se mettre en scène avec imagination pour inspirer les gens. Dans mes photos, j'essaie d'exploiter tous mes côtés créatifs : la posture du corps, le look, mes œuvres d'art, les couleurs et l'écriture. Ne sous-estimez pas le pouvoir émotionnel des légendes. Je fais beaucoup d'efforts pour rédiger les mots qui accompagnent mes images. Le visuel est très important, mais j'ai l'impression que c'est grâce à mes textes que mes abonnés sont vraiment réceptifs à toute mon histoire.

Mon parcours

À la fois « influenceuse », yogi, artiste et voyageuse, je me vois avant tout comme une aventurière, et la création me passionne. Grâce à Instagram, je peux non seulement apprendre aux gens à être heureux, mais aussi leur rappeler qu'il faut aimer la nature. Je veux mettre de la couleur dans ce monde et garder toutes les facettes de ma personnalité. Je tiens à ma liberté. Je ne veux pas penser à ce que je ferai dans cinq ans.

Redressez vos photos

Dans une composition, l'ordre attire naturellement le regard. Le format carré est idéal pour faire des photos symétriques, avec des lignes horizontales et verticales fortes. En général, lorsque vous cadrez une façade, vous êtes en contrebas. Il y a donc une perspective avec des lignes convergentes. Ce n'est pas forcément gênant, mais souvent, cela diminue l'impact que peut avoir une surface plane. Je corrige ces distorsions avec l'application SKRWT. Pour cette image, les fenêtres étaient plus hautes que moi, mais cela ne se voit pas, car j'ai bien redressé la perspective. C'est comme si je m'étais envolé pour prendre la photo !

Mon parcours

J'ai découvert Instagram au moment où j'en avais le plus besoin dans ma vie. J'avais perdu mon travail à cause d'une maladie, et je m'en suis servi comme un remède à la fois physique et artistique. Tous les jours, je pars faire des photos à vélo : cela me permet de rester en forme et d'être créatif. Issu du monde du graphisme, j'aime photographier les lignes de la ville. La photo d'architecture et le graphisme ont beaucoup en commun. Il faut assembler des formes, des volumes, des plans et des motifs. En tant que membre fondateur de **@SEEMYCITY**, et étant maintenant considéré comme un « influenceur », j'ai la possibilité de me rendre dans des endroits où je ne serais sûrement jamais allé sans cela. Instagram m'a remis sur pied, et je lui en suis très reconnaissant.

@MACENZO
Dirk Bakker
Nombre d'abonnés :
> 388 k

Ses inspirations :
@cimkedi
@cityzen63
@serjios

Les effets Instagram

Quand vous retravaillez vos photos, l'homogénéité est primordiale. Voici les principaux réglages que vous trouverez en cliquant sur « Modifier » dans Instagram. N'oubliez pas : moins vous en ferez, mieux ce sera.

Ajuster

Sert à recadrer l'image et à la faire pivoter. L'icône de la grille permet d'afficher des lignes très utiles pour bien redresser les perspectives.

Luminosité

Réglage permettant d'éclaircir, mais aussi d'assombrir votre photo. Attention, cela affecte toute l'image, donc mieux vaut éviter de l'utiliser.

Contraste

Un réglage rapide pour modifier l'écart entre les tons clairs et les tons sombres. À éviter pour la même raison.

Structure

Cette option accentue les détails et la texture de votre photo. À utiliser avec parcimonie, ou vous risquez de tout gâcher.

Chaleur

Déplacez le curseur pour rendre votre image plus froide ou plus chaude. Ne forcez pas la dose.

Saturation

Augmentez ou diminuez l'intensité des couleurs. Pratique pour passer vos images en noir et blanc. À l'inverse, évitez de trop saturer les couleurs.

Couleur

Un moyen de colorer ombres ou hautes lumières. Ce n'est pas très subtil.

Estomper

Permet d'adoucir l'image en la blanchissant.

Hautes lumières

Modifie les hautes lumières. C'est une meilleure option que l'outil « Contraste » pour les accentuer.

Ombres

Modifie les ombres. Également un meilleur moyen que le contraste pour les noircir.

Vignette

Permet d'ajouter un peu d'ombre sur les bords de votre image pour faire ressortir la zone centrale.

Netteté

Ajoutez toujours une pointe de netteté à la fin pour améliorer un peu l'image sur les écrans de téléphone.

Les applications de retouche

Certaines applications offrent des outils de retouche beaucoup plus avancés que ceux d'Instagram. Voici celles que les experts présentés dans ce livre préfèrent.

VSCO

L'une des meilleures applications de retouche. Ses filtres « effet argentique », ses options simples à utiliser et son interface pratique permettent de facilement améliorer vos photos.

Darkroom

C'est ce qui se rapproche le plus d'un logiciel de retouche sur ordinateur, mais pour smartphone. Un très bon choix si vous voulez tout contrôler sur votre photo.

PicTapGo

Cette application offre une belle gamme de filtres et d'effets, propres et nuancés. Dotée des options de retouche habituelles, elle permet d'améliorer la lumière et de régler l'intensité des filtres (mais aussi de les cumuler).

Snapseed

C'est l'une des plus anciennes applications permettant de modifier les photos de smartphone. Donne de nombreux conseils de retouche. Il faut un peu de temps pour la maîtriser, mais vous trouverez de l'aide sur le Web.

SKRWT

Très appréciée pour la photographie d'architecture, c'est l'une des meilleures applications pour modifier la perspective. Elle permet de corriger les distorsions de l'objectif et d'ajuster les angles avec finesse. Très facile à utiliser.

Cortex Camera

La solution pour une prise de vue dans l'obscurité. L'application réalise plusieurs photos à différents temps d'exposition, puis les assemble. Contrairement aux autres, elle prend directement des photos, photos que vous pouvez aussi exporter vers d'autres applications pour les modifier.

N'ayez pas peur de mitrailler

Photographier ma fille n'est pas toujours une mince affaire. C'est un vrai petit tourbillon, remuant et multicolore. Impossible de la faire poser. Je mets mon iPhone en mode rafale et je la laisse bouger, guettant du coin de l'œil l'instant féerique. C'est une option pratique pour les sujets en mouvement, le plus dur étant de saisir le bon moment. Comme tous les photographes, je fais parfois de petites retouches, comme retirer un élément gênant en arrière-plan. L'important pour moi est de capturer l'enfance de ma fille dans toute sa splendeur.

Mon parcours

Lorsque j'étais enceinte de mon premier enfant, je faisais une photo par jour, histoire d'avoir un projet créatif. J'ai toujours aimé la photographie, mais je n'avais ni le temps ni l'énergie d'utiliser mon reflex numérique ; l'iPhone était donc parfait pour moi. Une fois l'apprentissage terminé, j'ai eu beaucoup de nouveaux abonnés : 35 000 *followers* au bout de quelques mois. Trois ans plus tard, j'ai quitté l'emploi que j'occupais au National Health Service, le système de santé publique du Royaume-Uni, pour devenir photographe et auteure indépendante. C'est la carrière dont j'ai toujours rêvé, et sans le soutien de mes amis et de mes abonnés sur Instagram, je n'aurais jamais pu y arriver.

@ME_AND_ORLA
Sara Tasker
Nombre d'abonnés :
> 142 k

Ses inspirations :
@mimi_brune
@searchingfortomorrow

@KIKI_SUNSHINE
Ekaterina Kolenbet
Nombre d'abonnés :
> 73 k

Ses inspirations :
@chriscreature
@mimielashiry
@zarinakay_

Racontez de vraies histoires

Les *stories* d'Instagram constituent un bon moyen d'exprimer ses émotions. Laissez-vous porter et amusez-vous. Capturez de vrais moments. Il y a tellement de comptes Instagram « parfaits » qu'au final c'est lassant de voir toutes ces vies de rêve. Soyez le plus authentique possible, mais n'en faites pas trop. Rappelez-vous que les *stories* sont une prolongation de votre identité sur Instagram. Faites-en une source d'inspiration positive, et ne publiez rien que vous pourriez regretter, surtout si vous voulez attirer des marques.

Mon parcours
Je viens de Tachkent, en Ouzbékistan. Je suis diplômée en économie. L'art, la mode et la photographie m'ont toujours beaucoup intéressée ; je suis donc partie en Thaïlande pour prendre un nouveau départ et laisser libre cours à ma créativité. J'ai étudié la mode pendant trois ans à Bangkok, puis je me suis installée en Italie, où j'ai développé mon style et mon ton personnel. Aujourd'hui, je vis à New York, et je fais de la photo numérique et argentique.

@OVUNNO
Oliver Vegas
Nombre d'abonnés :
> 412 k

Ses inspirations :
@marcogrob
@danrubin
@dave.krugman

Entrez dans le cadre

Faites en sorte que les gens puissent se plonger dans votre photo. En voyant une partie de vous à l'image, vos abonnés pourront mieux s'imaginer à votre place, se glisser dans votre peau. Même si l'endroit photographié est loin d'eux, ils pourront ressentir un peu de votre émotion à ce moment-là.

Mon parcours

Je suis sur Instagram depuis environ 2011. Je me suis mis à publier mes photos de voyage, et, progressivement, j'ai eu de plus en plus d'abonnés. Les gens aiment découvrir mon point de vue, car je les emmène ailleurs, ils se sentent à ma place au moment où je prends la photo. Aujourd'hui, grâce à mon compte, j'ai beaucoup plus d'opportunités professionnelles ; je peux voyager et rencontrer des gens. Pour moi, il s'agit de capturer, de ressentir et de partager l'émotion.

Prenez de la hauteur

Élaborer une composition sur une surface plane est un moyen infaillible de créer une image qui plaira au plus grand nombre. Disposez des objets près d'une fenêtre laissant passer beaucoup de lumière naturelle. La luminosité est très importante. Trouvez de belles surfaces assorties aux objets choisis, et prenez toute la place nécessaire. Faites très attention à votre composition, à l'espace entre les différents éléments et à la superposition de certains d'entre eux. Gardez votre téléphone bien parallèle à cette surface, pour éviter de pencher l'image, et affichez la grille sur votre écran si cela peut vous aider.

Mon parcours

Il y a quatre ans, lorsque j'ai décidé de télécharger Instagram, je ne m'attendais ni à devenir un passionné de photographie ni à rencontrer les personnes les plus incroyables que je connaisse. En tant que photographe et illustrateur, le fait de partager mon travail sur mon compte et d'obtenir des retours m'encourage à être moi-même et à persévérer. Pour les voyages, la cuisine ou la photo, qu'il s'agisse des petits-déjeuners vus du haut d'**@ALICE_GAO** ou bien des rues de New York de **@VISUALMEMORIES_**, Instagram m'inspire au quotidien.

@HAL_ELLIS_DAVIS
Hal Ellis Davis
Nombre d'abonnés :
> 59 k

Ses inspirations :
@emmajanekepley
@_janekim
@milenamallory

@ALADYINLONDON
Julie Falconer
Nombre d'abonnés :
> 108 k

Ses inspirations :
@candidsbyjo
@urbanpixxels
@jessonthames

Représentez votre ville

Si vous publiez des images de votre ville sur Instagram, soyez sûr de bien varier les sujets. Tout le monde aime voir Big Ben en photo, mais le plus souvent, ce sont les ruelles de Londres et leurs détails inattendus qui déclenchent le plus de réactions chez mes abonnés. Si vos *followers* ont l'impression de découvrir un nouvel aspect d'une ville, que ce soit là où ils vivent ou ailleurs, ils auront envie de vous suivre et de plonger dans vos images.

Mon parcours
Originaire de San Francisco, j'ai déménagé à Londres en 2007 et j'ai créé mon blog, *A Lady in London*. J'ai entendu parler d'Instagram par un ami qui était sûr que j'allais adorer, et il avait raison ! Cela m'a donné envie d'explorer Londres et de voyager plus souvent pour photographier les endroits qui me plaisent. Avoir un retour immédiat de mes abonnés est très encourageant. C'est formidable de pouvoir rencontrer des gens qui partagent ma passion pour Londres et pour le voyage. Grâce à mon blog, sur lequel je travaille à plein temps depuis 2010, j'ai pu visiter une centaine de pays, dont j'ai publié les photos sur Instagram.

To hashtag or not to hashtag

Hamlet n'a jamais eu à s'en préoccuper, mais pour le candidat à la réussite sur Instagram que vous êtes, telle est bien la question. D'un côté, les *hashtags* peuvent vous élever vers de glorieux horizons, de l'autre, ces mots-clés risquent de vous entraîner vers le fond.

Désactivez le mode privé

Si votre compte est privé, seules les personnes qui vous suivent pourront voir vos *hashtags*, qui ne seront donc pas très utiles.

Choisissez-les bien

L'objectif des *hashtags* n'est pas d'avoir le maximum d'audience, mais de cibler le public le plus pertinent. Imaginez : vous êtes à Londres, dans le quartier hipster de Hoxton. Avec **#LONDON**, votre photo recevra des *likes* immédiatement, mais ils ne serviront pas à grand-chose, car votre mot-clé est trop vague. Indiquez plutôt le quartier (**#HOXTON**, **#OLDSTREET**), ou bien un endroit encore plus précis, comme l'hôtel **#THEHOXTON**, pour provoquer une interaction avec des abonnés proches de votre sensibilité. Votre photo aura aussi une plus grande longévité dans un groupe d'images davantage restreint.

Et avec parcimonie

En général, deux à trois suffisent. Certes, plus vous en ajoutez, plus vous obtenez de *likes*, mais les gens verront bien que vous les avez obtenus grâce aux *hashtags*, et non car les personnes sont réellement intéressées par vos photos. En outre, si vous en mettez des tonnes, vous prenez le risque d'avoir l'air désespéré, surtout s'ils sont banals.

Ne soyez pas lourd

Ne mettez pas les mêmes *hashtags* « passe-partout » sur toutes vos publications. Ces dernières resteront dans les mêmes groupes d'images, au lieu de se déployer en quête de nouveaux abonnés. Si vous faites cela, vous donnerez l'impression de ne pas vous soucier de vos propres photos, ce qui n'est vraiment pas terrible.

Tenez-vous au courant

La popularité des *hashtags* évolue. Utiliser de nouveaux mots-clés est une bonne idée : vous serez en effet perçu comme un précurseur, et non comme un simple suiveur de tendances. Si le thème de votre compte est très spécifique, gardez un œil sur les *hashtags* concernés et apprenez à les utiliser à bon escient.

Misez sur le long terme

Pensez à utiliser plusieurs *hashtags* pour une photo. Choisissez-en trois, par exemple : un premier très connu, un deuxième un peu moins populaire, et un troisième plutôt spécialisé. Cette technique permet de parer à toutes les éventualités, et votre image pourra ainsi vivre un peu plus longtemps après une première vague d'attention.

Apprenez à les cacher

La légende sous votre image capte l'attention, surtout si vous racontez l'histoire de votre photographie. Les *hashtags* ont un côté fonctionnel, et plutôt disgracieux. Au lieu de les inclure dans la légende, mettez-les dans un commentaire, commentaire qui sera dissimulé dès que d'autres suivront.

Soyez inventif

Placer le sujet de l'image en *hashtag*, comme #OCEAN, c'est vraiment ce qu'il y a de plus bateau. Trouvez des mots-clés jouant sur l'émotion provoquée par votre photo. C'est l'une des raisons pour lesquelles #FOLLOWMETO a tant de succès : il exprime une attitude, plutôt qu'une description littérale.

Créez votre propre *hashtag*

Si vous avez un thème récurrent, créez votre propre mot-clé pour que vos abonnés puissent rapidement filtrer les photos concernées, comme l'a fait @SEJKKO (cf. p. 108) avec #SEJKKO_LONELYHOUSE. Si ce mot-clé est porteur d'émotions, il se peut que d'autres personnes le reprennent dans leurs publications. Dans ce cas, citez-le dans votre biographie, pour bien montrer que vous en êtes l'inventeur.

Le *Weekend Hashtag Project*

Chaque week-end, Instagram lance son propre *hashtag*. C'est un très bon moyen d'aller vers un public plus large ; vous pourriez même être repéré par l'équipe d'Instagram et faire partie des suggestions d'utilisateurs.

La mode sous toutes les coutures

@GABIFRESH
Gabi Gregg
Nombre d'abonnés :
> 432 k

Ses inspirations :
@theashleygraham
@nadiaaboulhosn
@misslionhunter

Un bon portrait en pied ne suffit pas. Il faut en effet tenir compte de l'arrière-plan et de l'accord entre les couleurs et les motifs. Les fonds unis et colorés font bien ressortir les vêtements, mais les briques ou la végétation peuvent également mettre en valeur certains tissus et leurs tonalités. Évitez d'être en plein soleil : un contraste trop fort ne fait pas une jolie peau. Faites le choix d'un mur situé à l'ombre, avec une lumière plus douce. Donnez du caractère à votre pose en fixant l'objectif, ou bien regardez hors cadre, comme si la photo était prise sur le vif. Enfin, soyez toujours attentif aux endroits qui pourraient, à l'avenir, servir d'arrière-plan.

Mon parcours

J'ai ouvert mon blog, gabifresh.com, en 2008, car je m'intéressais au journalisme de mode. Je n'avais pas d'expérience, j'ai donc pensé que ce serait parfait pour montrer mes talents d'écriture et ma passion pour la mode. J'ai créé mon compte Instagram en 2011. Ces deux plateformes sout aujourd'hui pour moi une vitrine, qui me permet de montrer mon propre style. Ma notoriété vient du fait que je conseille surtout de ne pas suivre les règles de la mode ! En outre, avant moi, peu de filles tendance portant du 46 ou plus étaient vraiment représentées.

Laissez de l'espace autour du cadre

@NICOLE_FRANZEN
Nicole Franzen
Nombre d'abonnés :
> 198 k

Ses inspirations :
@jaredchambers
@salvalopez
@schonnemann

Même si Instagram n'oblige plus à publier des photos forcément carrées, je trouve que le fait de leur ajouter des marges leur donne de la puissance et de l'élégance. Elles ont plus d'espace, ce qui leur confère une certaine majesté. Ceci dit, votre fil de publications peut facilement avoir l'air désordonné selon les formats utilisés. Vous pouvez essayer l'application Whitagram et mettre de l'ordre en gardant un format d'image standard. Pour ma part, j'alterne photos « paysage » et photos « portrait ». J'aime la clarté, l'impact visuel que cela crée sur mon profil.

Mon parcours

J'ai ouvert un compte dès le début d'Instagram. Prendre des photos avec un iPhone n'était pas encore une habitude très répandue, et j'adorais l'idée de pouvoir publier facilement mes images. J'utilise l'application pour suivre les artistes et les marques que j'aime. L'aventure a commencé tout doucement, puis j'ai fait partie des suggestions d'utilisateurs et j'ai souvent été republiée, ce qui m'a permis d'avoir plus d'abonnés. Depuis, j'ai notamment eu l'occasion de collaborer avec plusieurs entreprises et offices de tourisme.

@KATIA_MI
Ekaterina Mishchenkova
Nombre d'abonnés :
> 551 k

Ses inspirations :
@anasbarros
@audiosoup
@civilking

Parlez la langue de vos abonnés

Si l'anglais n'est pas votre langue maternelle, réfléchissez à celle que vous allez utiliser sur Instagram. J'écris mes légendes en russe et en anglais, car mes abonnés parlent les deux. Si les gens ne peuvent pas vous comprendre, il sera difficile pour eux de vous apprécier et de vous suivre. C'est particulièrement important si vous voulez attirer un public cosmopolite et des marques internationales.

Mon parcours

Je suis directrice artistique et experte en réseaux sociaux. J'ai créé mon premier compte, **@KATIA_MI**, en 2012. Je le dédie aujourd'hui à des photos artistiques et conceptuelles. J'ai ensuite lancé un autre compte, **@KATIA_MI_**, quant à lui consacré au voyage et à l'art de vivre. Au-delà du fait d'être célèbre sur Instagram, avoir beaucoup d'abonnés permet de se faire de nouveaux amis dans le monde entier, de faire tomber les frontières et de rencontrer des personnes passionnées par la création de récits graphiques.

Travaillez en équipe

La création et la gestion d'un compte Instagram à succès
peuvent demander beaucoup de travail, mais rien ne vous
oblige à porter cela tout seul. Impliquez vos amis, vous verrez
que c'est bien plus amusant. Nous partageons tous les trois la
même motivation pour ce compte. Quand l'un d'entre nous
n'est pas disponible, ce qui arrive assez souvent, les deux autres
prennent le relais. Pensez à créer un groupe sur WhatsApp
pour en discuter régulièrement. Nous ne publions pas à tour
de rôle, nous vérifions simplement l'heure de la dernière photo
pour voir s'il est temps d'en poster une autre. Tout se passe
super naturellement.

Notre parcours
Nous avons créé notre compte en juin 2014, dans un bar
d'Amsterdam arborant un sol superbe. Nous nous sommes alors
découvert tous les trois un faible pour les sols et la décoration
dont ils sont parfois recouverts. Nous pensions d'abord partager
nos propres photos, mais nous avons finalement décidé d'en
faire une plateforme ouverte à tous. C'est incroyable comme le
nombre de *followers* a rapidement augmenté. Récemment, nous
avons été cités par des blogueurs très célèbres, des magazines,
et même des stars, comme Reese Witherspoon. Nous avons vécu
beaucoup de bons moments, mais le meilleur restera celui où l'on
a appris que l'on avait atteint les 500 000 abonnés en 15 mois.

**@IHAVETHISTHING
WITHFLOORS**
Edith, Josha et Pien
Nombre d'abonnés :
> 762 k

Leurs inspirations :
@ad_magazine
@jean_jullien
@mariestellamaris_official

@KITKAT_CH
Martina Bisaz
Nombre d'abonnés :
> 211 k

Ses inspirations :
@brahmino
@daniel_ernst
@ravivora

Où êtes-vous ?

Géolocaliser une photo est une très bonne façon de générer de l'intérêt, et ce, pour un bon moment. En voyage, je m'en sers pour créer une sorte de journal de bord et pour ne pas oublier le nom des endroits que j'ai visités. Cela permet aussi de faire apparaître l'image lors d'une recherche par lieu. Si vous êtes dans votre quartier, la localisation vous aidera à obtenir des abonnés vivant à proximité. Vous pourrez même participer à la documentation de l'histoire d'un lieu.

Mon parcours

Je viens des Alpes suisses, où les paysages sont magnifiques. Les montagnes et la nature ont toujours été importantes dans ma vie, même si j'ai vécu dix ans à Zurich pour mon travail, au sein d'un département d'archéologie. J'adore aussi les voitures anciennes (c'est de famille !). Dès que j'ai un week-end de libre, j'en profite pour aller à la montagne, au volant de l'un de mes véhicules de collection. Depuis que j'ai découvert Instagram, la photo est devenue ma troisième passion, après les voitures et les voyages, dont elle me permet de garder une trace.

Les astuces pour augmenter son audience

Vous aurez donc compris qu'il faut savoir faire de belles photos et être aimable avec ses semblables sur le réseau. Néanmoins, cela ne suffira pas à vous propulser vers les sommets. Ces quelques chiffres, en revanche, devraient pouvoir vous y aider.

12,6 %

36 %

38 %

d'engagement en plus quand une photo a au moins un *hashtag*

d'engagement en plus sur les photos que sur les vidéos

de *likes* en plus si un visage ou une personne apparaît à l'image

56 %

d'engagement en plus
si vous identifiez un
autre abonné dans
votre photo

79 %

d'engagement en plus
si vous géolocalisez
votre image

Capturez les émotions

Le fait de vous concentrer sur certaines ambiances peut être aussi efficace qu'avoir un thème spécifique, comme les paysages ou la gastronomie. Vos abonnés vous suivront pour les émotions exprimées par votre compte. Cela peut même leur offrir une dose de bonne humeur matinale ou une échappatoire après une dure journée. Fleurs, paysages, natures mortes, nourriture ou objets, mes sujets sont très variés, mais la lumière, l'exposition, la mise au point et la composition me permettent de tout harmoniser. Outre mon téléphone, j'utilise plusieurs appareils photo, et parfois même de la pellicule.

Mon parcours

Je suis pharmacienne et j'adore la photographie. J'ai ouvert mon compte Instagram en octobre 2010. Je voulais capturer la beauté de la nature et certaines lumières naturelles que j'aime particulièrement. J'imagine que mon compte semble très japonais, mais, en réalité, 10 % seulement de mes abonnés vivent au Japon. Ce qui me plaît vraiment avec Instagram, c'est le fait d'être connectée avec des personnes de tous les pays et de toutes les cultures.

@NAO1223
Naomi Okunaka
Nombre d'abonnés :
> 280 k

Ses inspirations :
@wagnus
@utopiano

@NALA_CAT
Varisiri Methachittiphan
(maîtresse de Nala)
Nombre d'abonnés :
> 3,1 M

Ses inspirations :
@catsofinstagram
@cats_of_instagram
@white_coffee_cat_

Retombez sur vos pattes

Ce que les gens aiment surtout sur mon compte, ce sont les accessoires que ma maîtresse me fait porter. Même si elle me dit tout le temps que c'est normal pour un chat d'être en costume de requin, je ne la crois pas trop. Mais cela ne me gêne plus, je suis habituée maintenant, et cela fait de très bonnes photos. Si vous déguisez votre animal de compagnie, veillez à ce que se soit agréable pour lui. Certains de mes amis trouvent que mes chapeaux sont chouettes, mais ils n'aiment pas vraiment en porter. Ils préfèrent avoir un joli nœud papillon autour du cou, et ne pas être à la place des cadeaux sous le sapin.

Mon parcours

Chalut ! Je suis Nala, une chatte croisée : je suis à la fois siamoise et tabby. J'ai 6 ans (enfin, je ne suis pas sûre de mon âge, ma maîtresse m'a trouvée dans un refuge pour animaux ; elle m'a adoptée en novembre 2010, j'avais à peu près cinq mois, donc je suis peut-être née en juin). Je ne sais pas pourquoi on m'a abandonnée. Apparemment, je viens d'une maison où il y avait trop de chats. J'espère qu'ils vont tous bien et qu'ils sont aussi heureux que moi dans leur nouvelle famille. Les gens aiment mon compte Instagram parce qu'il les fait sourire quand ils sont tristes. J'imagine que c'est pour cela que tant de monde me suit.

Attendez la lumière parfaite

La photographie devrait consister à créer du récit et à en figer les instants. La lumière naturelle et la prise de vue à certaines heures de la journée sont donc très importantes, car elles servent à fixer une ambiance dans votre image. La lumière dorée de l'aube et du crépuscule m'a toujours attirée. Sa douceur et ses couleurs chaudes font tout briller. En revanche, comme le soleil ne se contrôle pas, il faut être organisé. Planifiez votre prise de vue et attendez que la lumière soit parfaite. Cela fera toute la différence sur vos photos.

Mon parcours

Je suis photographe, voyageuse et créatrice de récits visuels. Je vis en Australie, sur la côte est. Je travaille sur la lumière naturelle et sur le sentiment de nostalgie. Je cherche à capturer de beaux moments et à raconter des histoires avec les images que j'ai créées. Instagram a eu un impact extrêmement positif sur ma vie professionnelle et sur ma vie personnelle. Cela m'a apporté beaucoup de nouvelles opportunités en termes de collaborations et de relations artistiques à travers le monde.

@HELLOEMILIE
Emilie Ristevski
Nombre d'abonnés :
> 867 k

Ses inspirations :
@alexstrohl
@lilyrose
@sejkko

@DANIEL_ERNST
Daniel Ernst
Nombre d'abonnés :
> 360 k

Ses inspirations :
@everchanginghorizon
@hannes_becker
@samuelelkins

Pensez à la présence humaine

En parcourant mes photos, vous verrez que dans la plupart d'entre elles, il y a une présence humaine. J'essaie très souvent de mettre quelqu'un dans le cadre pour montrer la dimension du paysage, et pour que l'on puisse s'imaginer à sa place. C'est en outre un moyen de faire discrètement du placement de produit pour des marques de vêtements ou pour du matériel. Si vous voyagez seul, vous pouvez poser dans la photo. Dans ce cas, un trépied et une télécommande seront indispensables. En plus, cela vous fera de super *selfies* !

Mon parcours

Je vis en Allemagne. Je suis un photographe de voyage et d'aventure, toujours à la recherche du moment parfait. Mon compte est le reflet de mes passions : la vie au grand air et le goût de l'aventure. Je veux inciter tout le monde à s'échapper de sa routine, à découvrir et à explorer la nature. J'ai d'abord utilisé Instagram pour être en contact avec des gens, plus que pour faire ma propre promotion. Je m'en sers toujours ainsi, mais, désormais, j'ai aussi l'opportunité de contacter des marques.

Séparez vos comptes

Si vous voulez explorer deux thèmes extrêmement différents sur Instagram, le mieux est de créer un deuxième compte. C'est ce que j'ai choisi de faire pour que mon profil principal demeure une galerie d'images homogènes. Il est vraiment très pratique d'avoir un autre compte, un compte qui ne vous oblige pas à vous soucier de ce que vous publiez (ce qui peut être stressant quand on a un profil très suivi). Dans vos paramètres, allez dans « Comptes liés » pour en ajouter un nouveau.

Mon parcours

Je viens de Suisse. En ce moment, j'étudie la photographie à Londres et je voyage. Instagram a complètement changé ma vie depuis que je m'y suis inscrite en 2011. J'ai enfin ouvert les yeux sur la beauté qui m'entoure au quotidien. J'ai pu exprimer une facette de ma personnalité que je ne pensais pas avoir ; je suis devenue plus créative et plus sûre de moi. Depuis que je vis à l'étranger, mon parcours sur Instagram est encore plus génial, et ce, grâce à tous les amis rencontrés *via* l'application.

@KIM.OU
Kim Leuenberger
Nombre d'abonnés :
> 117 k

Ses inspirations :
@ali.horne
@josephowen
@whatalexloves

@5FTINF
Philippa Stanton
Nombre d'abonnés :
> 470 k

Ses inspirations :
@kbasta
@mctoro_o
@ncour

Exigez d'avoir carte blanche

Arrivé à un certain point, votre compte va sans doute attirer l'attention des marques. C'est bien, vous allez peut-être gagner de l'argent grâce à votre créativité. Cependant, vous devez absolument rester fidèle à votre côté artistique. Évidemment, il n'est pas facile de refuser des propositions, mais si vous n'êtes pas à l'aise ou si cela part dans une mauvaise direction pour vous, cela n'en vaut pas la peine. Je considère que travailler avec des entreprises, c'est comme réaliser des œuvres de commande. Si elles veulent placer leurs produits dans vos photos, vous devez avoir carte blanche : elles ne doivent pas interférer dans votre processus créatif.

Mon parcours

J'ai d'abord suivi les cours de la Royal Academy of Dramatic Art de Londres pour devenir actrice, et j'ai réussi à concilier tournages et peinture pendant plus de dix ans. J'ai ouvert mon compte par curiosité, en 2011, mais je ne m'imaginais pas être un jour si connue sur Instagram. Je n'ai jamais choisi de thème, c'est venu en paressant, assise à ma table. Cette application, c'est comme un carnet de notes créatif. Je l'ai toujours avec moi. Je n'ai décidé que récemment d'être représentée par un agent ; je préfère en effet passer du temps à créer plutôt qu'à négocier, et, en tant qu'actrice, j'ai l'habitude de ce genre d'intermédiaires depuis longtemps.

Comment devenir un utilisateur suggéré par Instagram ?

Nombre de ceux qui participent à ce livre sont devenus célèbres quand les dieux d'Instagram les ont élevés au rang sacré d'« utilisateurs suggérés ». Si tel est votre destin, vous serez suivi et recommandé par @INSTAGRAM pendant deux semaines. Leurs voies sont plutôt impénétrables, mais ils nous ont fait quelques révélations. Voici comment être presque sûr d'obtenir les bonnes grâces du réseau.

« Apportez un regard nouveau en partageant des photos ou des vidéos originales et inspirantes sur Instagram. »

Autrement dit, trouvez un créneau et n'en sortez plus. Publiez des images de très bonne qualité. Pensez aux règles de composition expliquées en page 36. Ne jouez pas au kaléidoscope en essayant tous les filtres, et ne laissez pas un #SELFIVRE polluer vos jolies photos de cappuccinos.

« Impliquez-vous activement auprès de toute la communauté Instagram et contribuez à sa mobilisation. »

Soyez sincère quand vous écrivez des commentaires ou quand vous y répondez. Passionnez-vous pour les photos d'autres utilisateurs. Identifiez-les dans vos publications, aidez-les à augmenter leur audience. Et pourquoi ne pas organiser une rencontre InstaMeet ? Suivez les conseils de @PHILGONZALEZ, page 116.

« Inspirez la créativité chez les autres utilisateurs en participant par exemple au *Weekend Hashtag Project* d'@INSTAGRAM. »

Quelques louanges au sujet de l'équipe d'Instagram peuvent faire des miracles. Faites la promotion de leurs activités en vous impliquant dans leurs *Weekend Hashtag Projects*, et incitez vos *followers* à y participer. Visitez régulièrement le blog d'Instagram et partagez ce qui vous intéresse sur votre compte. Créez votre propre *hashtag* et encouragez vos abonnés à l'utiliser, à l'instar du compte @IHAVETHISTHINGWITHFLOORS (cf. p. 68), avec son *hashtag* du même nom.

« Souvenez-vous : nous mettons uniquement en avant des membres qui respectent les règles de la communauté. »

Cela tombe sous le sens. Ne publiez pas les images d'autres utilisateurs sans leur demander la permission et sans les créditer. Ne « spammez » personne. Ne postez rien de trop angoissant, soyez aimable, et ne faites pas de polémique. Rappelez-vous : l'équipe d'Instagram est assez prude. Si vous faites du nu, soyez artistique, comme @SALLYMUSTANG (cf. p. 44).

Ce qu'Instagram ne dit pas

En regardant l'ensemble des suggestions d'utilisateurs, vous verrez qu'Instagram a clairement une préférence pour un certain style. Ces consignes ne sont pas explicites, et il y a toujours des exceptions à la règle. Néanmoins, souvenez-vous des quelques astuces données ci-dessous : elles pourront vous être utiles.

Ne brûlez pas vos images

Chez Instagram, on aime le naturel. Vous pouvez jouer avec les filtres, mais il ne faut pas en faire des tonnes. Après avoir retravaillé vos images, ne les publiez pas tout de suite. Prenez un peu de recul et écoutez votre instinct : si vous avez poussé les curseurs trop loin, modérez vos retouches.

Soyez minimal

Voici le style que l'équipe d'Instagram semble privilégier : lumière naturelle, symétrie, compositions propres, expositions lumineuses et couleurs plutôt froides. L'espace négatif gagne à tous les coups.

Publiez régulièrement, mais pas constamment

Ne vous absentez pas du réseau pendant des siècles, mais ne publiez pas non plus plein d'images en une seule fois. Ce serait pénible pour vos *followers*, et vous auriez mauvaise réputation auprès d'Instagram.

N'ayez pas l'air désespéré

Trop de *hashtags* vous feront passer pour un affamé. Montrez plutôt ce que vous pensez de vos photos grâce à des mots-clés réfléchis (évitez d'être trop vague ; faites plutôt comme #VSCO ou #FOLLOWMETO).

Suivez la tendance

Les looks cool, genre « folk-rock DIY », sont toujours très appréciés. Faites dans la tendance, mais trouvez aussi votre propre style.

Êtes-vous sûr de ce que vous voulez ?

Quand vous serez dans les suggestions d'utilisateurs, vous serez probablement aux anges, votre nombre d'abonnés atteindra des sommets. Vous sortirez faire la fête, et vous aurez peut-être la folie des grandeurs, en vous désabonnant du compte de votre mère, qui « ne publie même pas pour des marques ». Mais votre nombre de *followers* va redescendre, et vite. C'est normal, ne lâchez pas l'affaire. Faites en sorte de susciter toujours autant de réactions, avec encore plus d'images de qualité, et prenez le temps d'échanger avec vos nouveaux abonnés.

Et enfin...

Une fois élu utilisateur suggéré, l'équipe d'Instagram vous enverra un message privé. Bien sûr, vous aurez la possibilité de refuser, mais si telle était votre intention, vous ne seriez pas en train de lire ce livre, n'est-ce pas ?

Soyez prolifique

Pour obtenir beaucoup de nouveaux abonnés, le mieux, c'est d'être très actif sur l'application. Publiez beaucoup d'images, mais uniquement de très bonne qualité. Si c'est le cas, vous pourrez même mettre quatre ou cinq photos par jour. Espacez vos publications pour ne pas saturer le fil de vos *followers*. Plus vous en diffuserez, plus vous aurez de *likes*, et plus leurs propres abonnés pourront découvrir votre compte et vous suivre à leur tour. N'oubliez pas d'aimer et de commenter les images postées par d'autres utilisateurs.

Mon parcours

Je viens de Belgique. Je suis un photographe autodidacte, passionné par la nature et les grands espaces. Fin 2013, j'ai quitté l'Europe durant deux années pour explorer l'Australie et la Nouvelle-Zélande. Mon unique objectif était de voyager avec mon sac à dos, mais quand **@NATGEOTRAVEL** et **@AUSTRALIA** ont commencé à republier mes photos, les choses ont pris une certaine ampleur, et les gens se sont mis à me suivre. J'ai ensuite été publié par le *National Geographic Traveler*, le *Daily Mail*, *Outside Magazine* et des sites web comme BuzzFeed, Mashable et Business Insider.

@LEBACKPACKER
Johan Lolos
Nombre d'abonnés :
> 381 k

Ses inspirations :
@alexstrohl
@fursty
@markclinton

@LILYROSE
Lily Rose
Nombre d'abonnés :
> 238 k

Ses inspirations :
@benjaminheath
@elizabethgilmore
@helloemilie

Faites-vous de vrais amis

N'ayez pas peur de faire de vraies rencontres grâce à Instagram. Participez à des InstaMeets : ces rassemblements permettent de parler à des personnes qui ont les mêmes passions que vous. C'est une communauté incroyable ! J'ai fait la connaissance d'un grand nombre d'amis grâce à cette application, et c'est pour cela que je l'aime vraiment beaucoup. C'est bien plus qu'un réseau social : il rassemble les gens pour de vrai. Le fait d'échanger avec des abonnés qui vous ressemblent vous poussera à travailler davantage et à croire en vos rêves.

Mon parcours

Il y a quelques années, j'ai quitté mon travail pour parcourir le monde. Mon voyage a été extraordinaire ; du coup, quand je suis rentrée en France, je me suis sentie vraiment déprimée. Et puis, je suis tombée sur cette application géniale qui m'a permis de m'occuper l'esprit. Je me suis découvert une passion pour la photo ; j'ai réalisé que j'adorais créer des images et les partager. C'était il y a cinq ans. Avant, j'étais opticienne, et, aujourd'hui, je suis photographe. J'ai encore beaucoup de mal à le croire !

Créez-vous un studio photo

@PCHYBURRS
Peechaya Burroughs
Nombre d'abonnés :
> 101 k

Je prends la plupart de mes photos chez moi, en intérieur. Il suffit d'un mur blanc et de beaucoup de lumière naturelle. Cette installation, très simple à réaliser, donne aux images un style professionnel. La luminosité dépend de l'orientation de vos fenêtres et de l'heure de la journée. J'ai la chance d'avoir chez moi de grandes fenêtres : la lumière est présente du matin jusqu'en début d'après-midi. C'est pratique pour garder un style harmonieux. Utilisez aussi un grand panneau blanc en guise de réflecteur : cela permet de réorienter la lumière vers le côté sombre du sujet, pour réduire les ombres ou pour les adoucir.

Mon parcours

Je ne pensais pas un jour arriver à mon style actuel, mais mon parcours de graphiste a pu avoir une influence. Progressivement, j'ai pris plaisir à photographier des objets de tous les jours. J'aime que mes photos provoquent un sourire chez mes abonnés et qu'elles entrent un peu dans leur quotidien. Je suis mère de deux enfants, qui sont pour moi une immense source d'inspiration. Instagram fait désormais partie de ma vie de famille, et c'est un sujet de conversation inépuisable.

@CUCINADIGITALE
Nicolee Drake
Nombre d'abonnés :
> 551 k

Ses inspirations :
@palomaparrot
@piluro
@samhorine

Publiez au bon moment

Pour publier vos photos, le mieux est de suivre le rythme de votre quotidien. Je n'ai pas vraiment de planning de publication, mais j'essaie de le faire au moment où la plupart de mes *followers* sont actifs sur Instagram. Pensez à la région du monde dans laquelle ils se trouvent et à leur rythme de vie. En général, les gens regardent leur fil d'actualité au réveil ou avant de s'endormir. Grâce au décalage horaire, publier le soir en Europe me permet aussi de saluer les abonnés qui se lèvent au même moment aux États-Unis.

Mon parcours

Je viens de Californie, et pour créer de belles histoires, j'ai le bon œil. Je possède un Master of Fine Arts, spécialité « Nouveaux médias ». J'aime les beaux vélos, les vieilles Converse et les gens qui parlent avec les mains. J'ai installé Instagram en 2011 et je m'en suis servie pour explorer Rome, où j'habite depuis 2009. Je trouvais super de partager mes aventures avec mes amis et ma famille aux États-Unis. Au final, c'est devenu un véritable espace de création, que j'utilise tous les jours. Avec son côté cinématographique, son style de vie et sa nostalgie de la culture américaine, Rome m'inspire au quotidien.

@THE_SALTY_BLONDE
Halley Elefante
Nombre d'abonnés :
> 359 k

Ses inspirations :
@flynnskye
@h0tgirlseatingpizza
@folkrebellion

Soyez vous-même

L'accessibilité et la sincérité joueront toujours en votre faveur. Si vous vous prenez au sérieux ou si vous faites semblant, cela deviendra un métier. Soyez original, il y a tellement de monde sur Instagram qu'il faut sortir du lot. Je suis une fille sarcastique qui adore la mode et la bière : c'est donc précisément ce que vous verrez sur mon compte. Être soi-même rend la vie plus facile. Personne n'est parfait (la perfection, c'est d'un ennui...), donc pas besoin d'énormément retoucher vos photos. Nous ne sommes pas là pour faire complexer les autres ; il s'agit surtout d'être une source d'inspiration pour eux.

Mon parcours

J'ai créé mon compte en mars 2014, après avoir déménagé de New York à Oahu, à Hawaï, avec mon fiancé. À l'époque, j'étais encore serveuse (cela a été mon boulot pendant presque dix ans). J'étais tellement fauchée que je reprenais mes vieux vêtements, afin de mélanger mon style new-yorkais avec un style un peu plus « balnéaire ». J'en faisais ensuite des photos, que je légendais de façon drôle et légère. J'attirais de plus en plus de *followers*, et cela me plaisait vraiment beaucoup. Un an plus tard, je démissionnais de mon travail. Depuis, j'ai plein de propositions géniales, et je me rends dans des lieux où je ne serais probablement jamais allée sans cela.

Cultivez la différence

Sur Instagram, il faut être fidèle à soi-même. Les utilisateurs sauront l'apprécier. Être différent n'est pas un problème. Pour ma part, j'ai voulu caricaturer notre monde capitaliste tout en parlant de la maltraitance envers les chats. **@CASHCATS** a peut-être l'air d'un compte un peu bête, mais il est quand même capable de lever des fonds en faveur d'une association pour animaux abandonnés. Et vous, quelle cause défendez-vous ? À votre avis, comment pouvez-vous utiliser Instagram pour la servir ?

Mon parcours

@CASHCATS, c'est un « club VIP sur le Web pour les chats les plus riches de la planète ». J'ai créé cashcats.biz en janvier 2011, et j'ai reçu plus de 5 000 photos venant du monde entier. L'aspect le plus intéressant de ce projet, c'est son ampleur internationale. Grâce à plusieurs expositions et à la vente de produits dérivés, nous avons pu récolter plus de 11 500 $, soit plus de 10 000 €, en faveur d'associations se consacrant à la protection animale sur l'ensemble du territoire américain.

@CASHCATS
Will Zweigart
Nombre d'abonnés :
> 150 k

Ses inspirations :
@fugazi_cat
@meowquarterly
@princesscheeto

L'argent, le nerf de la guerre

Allons droit au but. Comment créer un compte qui attire les marques ? Avec quel type de contrat ? Combien d'argent peut-on gagner ? Nous avons demandé à Nia Pejsak, responsable marketing pour une grande maison de mode, de nous emmener du côté obscur d'Instagram.

Comment peut-on accroître ses chances d'être contacté par des marques sur Instagram ?

Les entreprises cherchent des utilisateurs ayant un écho sur le public qu'elles ciblent. Dans la mode, par exemple, ils doivent incarner le style et l'identité de la marque. Il faut que vos abonnés aient l'impression de voir votre propre univers, c'est capital. Un conseil : faites une liste des enseignes que vous visez. Au fur et à mesure que votre compte se développera, n'oubliez pas de vérifier que le style de vos photos s'accorde à leur image de marque.

Pour autant, il ne faut pas ignorer les entreprises en dehors de votre spécialisation. Un compte dédié à la gastronomie va attirer l'attention des maisons de mode et des agences de voyage. C'est en effet un bon moyen pour elles de placer leurs produits face à un public nouveau et de renforcer l'association de leur image à un certain style de vie.

Combien d'abonnés doit-on avoir avant d'être considéré comme un « influenceur » ?

Il ne faut absolument pas faire de fixette sur le nombre de *followers*. Le plus important du point de vue marketing, c'est l'« engagement » : il s'agit de la façon dont réagissent les abonnés face à une publication. Est-ce qu'ils la zappent ou est-ce qu'ils s'arrêtent pour l'« aimer », voire la commenter ? Dans ce cas, que disent-ils ? Prenons l'exemple d'une top model pour maillots de bain, avec plus d'un million d'abonnés. En regard les commentaires, on s'aperçoit qu'une grande partie de ses *followers* est en fait constituée de voyeurs, d'hommes surtout attirés par ce qu'il y a sous le bikini. Une marque de maillots de bain féminins aura davantage intérêt à travailler avec un compte ayant moins d'abonnés, mais réellement suivi par des filles intéressées par la mode, car son influence sera meilleure.

Quels facteurs permettent de calculer le tarif ?

Un simple pourcentage, comme le nombre de *likes* ou de commentaires divisé par le nombre d'abonnés, est une bonne façon de comparer le taux d'engagement moyen entre des comptes similaires. Les entreprises y font attention, car cela détermine l'influence réelle d'un utilisateur ayant beaucoup de *followers*. Les paramètres suivants comptent aussi : le nombre de publications que vous ferez pour la marque, sur Instagram ou sur d'autres réseaux sociaux, leur caractère exclusif ou non, la création de nouvelles images ou la réutilisation de photos déjà prises. Les personnes les plus influentes sur Instagram ont souvent commencé par écrire des blogs ; elles peuvent donc offrir une prestation incluant un article sur leur site web. Un autre facteur déterminant : la créativité que vous mettez dans la publication. Est-ce que la marque va l'utiliser sur ses propres comptes ? Y aura-t-il une série de photos dont elle se servira pour vendre ses produits en ligne ? Tout cela permet d'augmenter significativement le tarif.

Et quels sont les tarifs ?

Une fois que vous avez assez d'abonnés, vous pouvez commencer à facturer. Acheter des *followers* n'a aucun sens : cela baisse votre taux d'engagement, et les marques le voient tout de suite. Avec plusieurs centaines de milliers d'abonnés et un bon engagement, il est à peu près possible de facturer entre 500 et 1 000 $ par publication (de 450 à 900 € environ). La prise en charge d'un compte peut aller de 2 000 $ à 10 000 $ (de 1 800 à 9 000 € environ), selon la durée et le nombre de photos. Un contrat pour une campagne complète, avec publicités, images en magasin et plusieurs publications, peut tourner entre 20 000 et 30 000 $

(entre 18 000 et 27 000 € environ). D'autres contrats peuvent prévoir une commission sur la vente des produits. C'est en général réservé aux ambassadeurs de la marque, mais cela peut aller jusqu'à 10 % du total des ventes.

Est-il recommandé de travailler avec un agent ?

Tout à fait. En effet, les agents entretiennent d'étroites relations avec les marques pour lesquelles vous travaillerez. Ils peuvent vous aider à négocier de meilleurs contrats et à vous placer sur des commandes avec des utilisateurs très influents pour construire plus rapidement votre audience. Cela peut se faire grâce à des contrats permettant aux entreprises d'acheter les publications des meilleurs « influenceurs », publications assorties de quelques « bonus » : des images offertes par des comptes moins influents.

D'autres conseils pour nos prétendants à la célébrité ?

Il faut plaire. Il y a du monde sur Instagram, il faut donc se démarquer, être authentique, écrire des légendes accrocheuses, qui captent l'attention. Quelle est votre personnalité ? Quel est le style de votre texte : sérieux, aimable, amusant, impertinent ? Encouragez

les réactions ! Posez des questions, interagissez avec votre public par le biais de commentaires. Donnez des *likes*. Voyez Instagram comme une communauté, et non comme une compétition. Faites vibrer vos abonnés, pour qu'ils « taguent » ensuite leurs amis, et augmentez ainsi votre public. Alliez-vous aussi à d'autres « influenceurs » pour doubler votre audience : vous avez tous un public différent à conquérir. Surveillez vos statistiques pour voir quelles photos suscitent le plus de réactions. Les marques voudront voir ces données, afin de connaître les différents arguments de vente de votre compte.

Nia Pejsak a été responsable marketing pour diverses marques de mode (Mulberry, Lacoste, Minkpink...), mais également pour le site de vente en ligne Net-a-Porter. Elle suit actuellement un master au London College of Fashion.
@NIAPEJSAK

Pensez à l'élément narratif

Ne sous-estimez jamais l'importance d'une histoire dans votre image. Je prends surtout des photos d'architecture, mais elles parlent à un grand public, car j'aime capturer certains instants particuliers : un espace traversé par une personne au pas de course, le reflet de ma main dans une flaque, le vol d'un oiseau, la lumière du jour… Tous ces éléments stimulent davantage l'imagination qu'une simple photo d'un endroit quelconque. La perception immédiate d'une présence humaine permet aux gens de mieux ressentir l'espace.

Mon parcours

J'ai commencé à utiliser Instagram en mars 2012, pour échapper à la routine de mon travail d'architecte. À l'époque, je n'étais pas très créatif dans mon métier ; la photographie est donc devenue mon moyen d'expression. C'était une façon de m'approprier mon environnement, de le capturer, de noter mes pensées du jour. L'architecture joue un rôle essentiel dans notre relation aux villes et dans la perception que nous en avons. Elle encadre et dévoile une multitude de possibilités, et c'est donc naturellement devenu mon thème de prédilection. Il est intéressant de voir à quel point l'architecture et la photo sont liées de nos jours. L'une ne peut presque pas exister sans l'autre. Partout où je vais, je vois une image à faire, un souvenir à emprisonner. C'est devenu ma vie.

@NUNOASSIS
Nuno Assis
Nombre d'abonnés :
> 241 k

Ses inspirations :
@chrisconnolly
@konaction
@mihailonaca

@THEFELLA
Conor MacNeill
Nombre d'abonnés :
> 195 k

Ses inspirations :
@ovunno
@twheat
@whatinasees

Offrez un regard nouveau

Les meilleures photos de paysages sont celles qui donnent envie de faire sa valise immédiatement. Elles exigent évidemment un bon sens de la composition et de la couleur. Il faut aussi chercher à montrer des panoramas peu connus du public. Si vous êtes à un endroit déjà vu des milliers, voire des millions de fois, surtout sur Instagram, dénichez un point de vue novateur et un sujet original. Vous pouvez être sûr que votre image impressionnera ceux qui la verront.

Mon parcours

Je fais de la photo d'art, de voyage et de paysage. Je vis au Royaume-Uni, et j'ai pour objectif de visiter tous les pays du monde. La photographie était d'abord un loisir me permettant de ne pas m'ennuyer lors de mes voyages en solitaire. J'ai créé mon compte en 2010, quelques mois après le lancement de l'application. C'était le moment idéal, car, à cette époque, je m'impliquais sérieusement dans la photo et dans les voyages. Quelques années plus tard, j'ai arrêté d'être développeur web, et, maintenant, j'arrive à vivre de mes images et d'Instagram, en travaillant principalement pour l'industrie touristique et les agences de voyages, comme vous pouvez l'imaginer.

Dites-le avec des fleurs

Qu'il s'agisse de photographier un plat sur une table ou des fleurs dans un vase, pensez à l'histoire que vous voulez raconter avant de construire votre image. Sujet, éclairage, textures, formes et couleurs : vous contrôlez tout. Chaque élément évoque une ambiance à prendre en compte dans la composition. Placez vos objets avec soin pour créer une dynamique qui guide le regard vers ce que vous voulez mettre en valeur. L'espace négatif (cf. p. 37) peut faire ressortir certains éléments. Rien ne vous oblige non plus à tout montrer. Un plan recadré laisse de la place à l'imagination. Les règles fondamentales de composition s'appliquent quoi qu'il arrive, et la couleur peut attirer l'œil et créer du rythme, comme dans cette image.

@C_COLLI
Cristina Colli
Nombre d'abonnés :
> 110 k

Ses inspirations :
@caroline_south
@5ftinf
@toile_blanche

Mon parcours

J'ai commencé sans avoir de thématique particulière, puis je me suis concentrée uniquement sur des compositions florales, une façon pour moi de souhaiter une belle journée à mes abonnés. Cette application m'a permis de m'épanouir. J'ai rencontré toute une communauté de gens talentueux et encourageants. Instagram occupe à présent une place importante dans ma vie quotidienne. Le fait de publier régulièrement me pousse à rester très motivée, à exercer ma créativité et à m'accomplir en tant qu'artiste. Je remercie cette application formidable d'exister ; elle me permet d'être en contact avec tous les passionnés de création florale.

@SEJKKO
Manuel Pita
Nombre d'abonnés :
> 252 k

Ses inspirations :
@amandademme
@brahmino
@kbasta

Faites-vous plaisir

Ce qu'il y a de plus important sur Instagram, c'est d'exprimer votre personnalité grâce à des photos capables de vous faire sourire. J'adore construire des images épurées et minimales. J'aime mettre en scène un élément isolé, comme un bâtiment, un arbre ou une personne. Je tiens toujours compte de l'arrière-plan ou du paysage environnant : je m'en sers pour valoriser mon sujet. C'est désormais un style qui me vient très naturellement et qui me donne un objectif à tenir. Et vous, qu'est-ce qui vous fait sourire ?

Mon parcours

Pendant mon parcours scolaire, j'ai dû faire un choix entre la science et l'art, et j'ai finalement opté pour la science. Bien plus tard, Instagram m'a permis d'exprimer à nouveau ma créativité et de laisser parler ma fibre artistique. Ces quatre dernières années ont été absolument incroyables, car j'ai réalisé que ces deux facettes de ma personnalité, bien qu'opposées, pouvaient aussi se rejoindre. En ce moment, je vis une évolution créative intense, et c'est vraiment très satisfaisant.

Écoutez-vous

Concentrez-vous sur ce qui vous tient à cœur, quelque chose de personnel, d'unique et de naturel, qui fait partie de vous. Il peut s'agir d'un loisir, d'une passion, d'un endroit près de chez vous. L'important est évidemment d'être créatif et de construire votre propre univers. Ce qui compte le plus est d'explorer votre personnalité et d'arriver à l'exprimer. Nous avons tous un caractère unique. Servez-vous-en pour vous ouvrir aux autres.

Mon parcours

Quand je me suis inscrite sur Instagram en 2011, je ne me doutais pas que je deviendrais célèbre sur le réseau (d'ailleurs, personne ne l'était à cette époque). Cela reste pour moi une manière de montrer, d'exprimer sans limites ma créativité. J'ai eu l'immense honneur de faire partie de l'exposition *A Glimpse at Photo Vogue*, organisée par *Vogue Italia* en 2012. En 2014, j'ai été mentionnée par The Cut, le blog mode du *New York Magazine*, parmi les « 50 profils mode à suivre sur les réseaux sociaux ». Ensuite, Katy Barker, qui a géré les carrières de Terry Richardson et Craig McDean, est devenue mon agent, et, en 2015, j'ai été citée par le magazine *Yo Dona* comme l'une des 500 femmes espagnoles les plus remarquables de l'année. J'ai encore l'impression de rêver.

@ISABELITAVIRTUAL
Isabel Martínez Tudela
Nombre d'abonnés :
> 720 k

Ses inspirations :
@hombre_normal
@oneeyegirl
@unskilledworker

Besoin d'un agent ?

En plus de vous aider à avoir l'air cool devant vos amis, prendre un agent peut vous propulser vers la célébrité sur Instagram. Mais à quoi sert-il exactement ? Comment en trouver un ? Et pourquoi s'intéresserait-il à vous ? Nous avons demandé à Nadine Andrews, agent pour blogueurs, de nous répondre concrètement.

Quels avantages y a-t-il à avoir un agent ?

Un agent négocie en votre nom. C'est pratique, car la plupart des gens ne sont vraiment pas à l'aise avec la négociation. Cela vous permet d'avoir plus de temps pour la créativité. Il peut vous mettre en contact avec des clients qu'il connaît depuis longtemps. Un bon agent pourra également vous aider, vous donner une direction à suivre et des conseils pour atteindre vos différents objectifs.

Peut-on avoir plusieurs agents quand on est influent ?

En effet, vous pouvez avoir un agent par pays. En général, votre agent « principal » vous redirigera vers les diverses agences étrangères avec lesquelles il est en contact. Quant au fait d'avoir plusieurs agents dans un seul et même pays, la plupart des agences vous l'interdiront.

À quoi doit-on faire attention quand on cherche un agent ?

Le mieux, c'est de le rencontrer ou de lui téléphoner pour voir si le courant passe bien, car vous allez collaborer assez étroitement. Il doit comprendre vos objectifs et doit pouvoir vous aider à les atteindre. Renseignez-vous sur les personnes qu'il représente et voyez si votre profil leur correspond, car certaines agences se spécialisent plutôt dans les cosmétiques ou la gastronomie, par exemple.

À quel moment est-on considéré comme un « influenceur » ?

Un bon taux d'engagement est plus important que le nombre d'abonnés. C'est ce qui vous permettra de vous distinguer des autres comptes. Cela voudra dire que vos abonnés sont très fidèles, et on pourra donc vous considérer comme une marque.

Qu'est-ce qui compte pour vous quand vous prenez un nouvel « influenceur » ?

Je regarde ses chiffres, mais aussi son taux d'engagement. Il doit avoir un plan de développement de sa propre marque. A-t-il l'intention de créer une chaîne YouTube ? Est-ce qu'ensuite il voudra écrire un livre ou concevoir une paire de chaussures ? Mes clients désirent toujours savoir sur quels réseaux sociaux un « influenceur » potentiel est présent. Plus il en a, mieux c'est, car cela ouvre davantage d'opportunités. Les possibilités sont infinies, et comme le secteur évolue extrêmement vite, je veux que les personnes que je représente soient vraiment les meilleures.

Pariez-vous sur de nouveaux talents ou attendez-vous déjà un certain degré d'influence ?

J'ai pris de jeunes talents, comme Indy Clinton, Maxi Hansen et Maia Cotton, car il est toujours crucial d'anticiper et de trouver qui sera la prochaine grosse sensation. Il est aussi important d'avoir un rôle de mentor, et de leur montrer comment construire leur marque.

Je cherche un agent. Que dois-je faire ?

L'essentiel, c'est d'envoyer un dossier de presse avec des informations factuelles concernant vos comptes sur les réseaux sociaux, avec le nombre de visites et de visiteurs uniques par mois si vous avez un blog. Vous devrez aussi me présenter une étude de cas portant sur les clients avec lesquels vous avez déjà travaillé, et les raisons pour lesquelles je devrais vous prendre. Je veux savoir ce qui vous différencie des autres et quels sont vos projets.

Que ne faut-il pas faire ?

Se contenter d'envoyer un e-mail avec son pseudonyme Instagram, sans prendre la peine d'expliquer ce que l'on fait et pourquoi on le fait. Ce n'est pas professionnel et c'est un très mauvais départ : cela dénote un manque d'initiative, de motivation, mais aussi d'intérêt pour sa marque.

Quel est le meilleur conseil que vous pourriez donner à celui qui désire devenir célèbre sur Instagram ?

Soyez sincère, n'essayez pas d'être ce que vous n'êtes pas. Tout le monde possède sa propre créativité, alors lâchez-vous ! Quand vous vous sentirez prêt à être représenté, il faut être sûr à 100 % de votre agent. Posez-lui des questions, assurez-vous qu'il croit réellement en vous et que votre relation de travail avec lui vous convient bien.

Nadine Andrews a fondé la branche « Gestion des réseaux sociaux » de l'agence Chic Model Management en 2013. Elle représente les blogueurs les plus convoités d'Australie, et travaille pour des clients comme Qantas, E!, Country Road, Net-a-Porter ou encore Estée Lauder.

Oubliez vos complexes

Si vous êtes comme moi, vous trouvez peut-être que les *selfies* sont parfois un peu gênants. Je m'assure donc systématiquement qu'il y a bien une raison d'en faire. Vous pouvez commencer par montrer une paire de lunettes de soleil, un vêtement ou alors un nouveau look beauté que vous aimez bien. Cela rendra votre photo plus parlante, et vous aurez plus de facilité à écrire la légende. C'est aussi l'occasion d'identifier des marques dans votre publication, en espérant attirer leur attention. Faites-vous plaisir et ne vous prenez pas trop au sérieux. Si je peux le faire, tout le monde peut y arriver !

Mon parcours

Je m'appelle Olivia, et je suis une blogueuse mode de 22 ans. J'habite à Londres. Mes photos reflètent ma passion pour les vêtements, la cuisine, les voyages, les couleurs, la musique, et la beauté. J'ai créé mon compte Instagram (en même temps que mon blog) il y a cinq ans, pendant mes études. À l'époque, c'était un mélange de filtres Hipstamatic et de *selfies* mal éclairés ! Aujourd'hui, ce réseau est celui que je privilégie pour exprimer ma créativité, avec ou sans filtre sépia !

@LIVPURVIS
Olivia Purvis
Nombre d'abonnés :
> 127 k

Ses inspirations :
@belleandbunty
@xantheb
@makemylemonade

@PHILGONZALEZ
Philippe Gonzalez
Nombre d'abonnés :
> 271 k

Ses inspirations :
@atfunk
@missunderground
@sejkko

Organisez un InstaMeet

Rencontrer vos amis Instagram est essentiel. Vous allez nouer de belles amitiés et mieux connaître vos abonnés. Un « InstaMeet » est un rassemblement d'utilisateurs. Vous pouvez en organiser un où vous voulez et quand vous voulez, Pâques, Noël ou la Saint-Valentin étant de très bonnes occasions. Commencez par gérer la logistique : s'il s'agit d'une balade photo, tracez un itinéraire et cherchez des sponsors (en cas de frais). Annoncez l'événement sur Instagram, puis demandez à vos amis et à vos *followers* de relayer l'info. Pour une balade, mieux vaut ne pas être trop nombreux, mais dans un grand espace, comme un musée, il n'y a aucune limite. Il y a déjà eu des InstaMeets avec des centaines, voire des milliers de personnes !

Mon parcours

J'ai découvert Instagram quand ce n'était encore qu'une start-up. J'ai tout de suite su que cela allait changer notre façon de vivre, de rencontrer des gens et d'interagir avec des marques. Un dimanche d'ennui, je me suis mis à rédiger des tutoriels pour les tout premiers utilisateurs : c'est ainsi qu'est né instagramers.com. Ce site a eu énormément de succès et a permis aux utilisateurs du monde entier de se rassembler. La photo sur smartphone a changé la vie de millions de personnes, et notamment la mienne. Aujourd'hui, sur instagramers.com, il y a plus de 500 groupes dans plus de 80 pays. J'aimerais passer plus de temps sur mon propre compte, mais comme le dit Instagram, « la communauté passe en premier ». Cela fait bien longtemps que je l'ai compris !

@PALOMAPARROT
Phoebe Cortez Draeger
Nombre d'abonnés :
> 319 k

Ses inspirations :
@dantom
@emilyblincoe
@thiswildidea

Développez votre propre style

L'inspiration se trouve partout : dans la musique, dans une conversation entendue au hasard ou dans un instant de beauté fugace. Construisez votre compte comme un livre de photos. Si toutes vos images suivent la même esthétique, vos abonnés auront l'impression de faire partie du voyage. Définissez vos thèmes et vos couleurs de prédilection, et ne vous en écartez plus. J'aime faire des photos simples et minimales, pour donner un aspect documentaire, plus réaliste, à mon compte.

Mon parcours

Après des études de photographie, je n'ai pas trouvé d'emploi dans ce secteur ; j'ai donc travaillé dans une boutique de vêtements. Début 2012, un collègue m'a parlé d'Instagram. Ma première publication a été une photo de ma garde-robe, mais j'ai vite choisi mon thème et mon style, et j'ai rapidement eu de plus en plus d'abonnés. J'ai décroché mon premier travail grâce à Instagram deux ans plus tard. J'ai quitté mon poste et, maintenant, je suis photographe à plein temps.

Amusez-vous !

Les gens prennent les réseaux sociaux beaucoup trop au
sérieux. Après tout, ce qui importe, c'est de pouvoir explorer
sa propre créativité et d'apprécier celle des autres. L'humour
est un très bon moyen d'attirer l'attention sur Instagram. Faites
au moins semblant de vous amuser. Cela dynamise vos photos,
et c'est ce qui inspire les gens. Vous pouvez par exemple
créer un profil humoristique, écrire des légendes comiques
ou publier votre blague du jour. Le compte **@HOTDUDESWITHDOGS**
me plaît surtout parce qu'il est drôle et qu'il me permet de
rencontrer beaucoup de personnes très intéressantes.

Mon parcours
J'ai d'abord créé **@RICHDOGSOFIG** comme une blague, et, à ma
grande surprise, j'ai eu plus de 26 000 *followers*. Fin 2015, j'ai
pensé à un nouveau projet sur les réseaux sociaux. S'il y a bien
une chose que j'aime autant que les chiens, ce sont les beaux
mecs. J'ai donc rassemblé les deux afin de créer le compte
le plus agréable à regarder d'Instagram ! Grâce à cela, j'ai pu
rencontrer des gens incroyables, et j'ai également eu l'occasion
d'apporter mon aide à des refuges pour animaux. Les marques
ont commencé à s'intéresser à moi à partir de 15 000 *followers*.
Maintenant, j'envisage de prendre un agent, car gérer un compte
comme celui-là, c'est beaucoup de travail !

@HOTDUDESWITHDOGS
Kaylin Pound
Nombre d'abonnés :
> 409 k

Ses inspirations :
@hotdudesreading
@menandcoffee
@nick__bateman

@PANYREK
Kitty de Jong
Nombre d'abonnés :
> 181 k

Ses inspirations :
@brahmino
@claireonline
@groovypat

N'ayez pas peur d'être triste

Instagram est considéré comme un réseau où il faut toujours avoir l'air de passer une journée géniale et d'être heureux. Être positif est évidemment une bonne chose, mais la vie n'est pas toujours rose, on a le droit d'être triste. Partager ses sentiments avec ses abonnés est important, car eux aussi ont des hauts et des bas. J'ai publié cette photo suite au crash du vol 17 de la Malaysia Airlines, parti d'Amsterdam et abattu en Ukraine en 2014. J'étais déprimée, j'avais un peu perdu espoir en l'humanité et j'avais besoin d'extérioriser. Les gens ont beaucoup réagi à cette publication, car elle exprimait aussi leurs sentiments.

Mon parcours
Je vis à Amsterdam avec mon mari et nos quatre enfants. J'ai commencé sur Instagram en octobre 2011. Comme j'avais constamment mon iPhone sur moi, je me suis mise à faire plus de photos, et, assez vite, je me suis engagée à ne publier que des images réalisées avec mon téléphone. Au début, cela me prenait beaucoup de temps, j'étais sans cesse à la recherche d'endroits, de sujets ou de bonnes lumières. Je passais aussi pas mal de temps à regarder de belles publications d'autres photographes sur Instagram. J'ai beaucoup appris d'eux, et je m'en suis inspirée pour sortir encore plus souvent.

Ce qu'il faut faire sur Instagram...

Parler à ses abonnés, commenter les images d'autres utilisateurs et répondre à leurs commentaires.

Créditer les autres utilisateurs d'Instagram ou mentionner les marques. Les identifier dans les photos ou dans les légendes.

Prendre son temps et se servir d'applications de retouche photo pour publier des images parfaites.

Adopter un style et le garder. Les abonnés aiment les séries de photos harmonieuses.

Supprimer ses anciennes images selon l'évolution de son style. Il est surprenant de voir jusqu'où les gens peuvent remonter dans le fil des publications.

Mettre son profil à jour, avec tous ses nouveaux réseaux sociaux, blogs et sites web.

Utiliser la géolocalisation pour indiquer à ses abonnés le lieu où a été prise la photo. Cela permet aussi d'en obtenir près de soi.

Participer à des InstaMeets pour se rapprocher de la communauté Instagram.

Écrire de bonnes légendes pour rendre ses images plus intéressantes.

Ajouter toujours un peu de netteté à ses images : elles doivent en effet rester bien nettes après leur publication.

...et ce qu'il faut absolument éviter

Utiliser les images des autres sans les créditer. Ils vous dénonceront et votre compte sera bloqué.

Ne pas légender l'image publiée : cela entraîne moins de réactions.

Publier trop d'images dans une même journée. Mettez-en deux ou trois, étalées dans le temps.

Publier des photos explicites de corps nus. Vous aurez peut-être rapidement des centaines de nouveaux *followers*, mais votre compte sera ensuite bloqué.

Mettre trop de *hashtags*. Deux ou trois mots-clés bien choisis suffisent. Si vous voulez en utiliser plus, insérez-les dans un commentaire pour les dissimuler.

Suivre trop de monde. En effet, votre fil d'actualité sera rempli de photos qui ne vous inspireront pas. En outre, cela incite les gens à se désabonner, car il est un peu facile de faire cela.

Utiliser d'anciens filtres. Vraiment, c'est à éviter.

Publier une image et attendre les *likes* en fixant le téléphone. Sortez plutôt de chez vous afin de faire d'autres photos !

Acheter des *followers*. Vous ne tromperez personne : votre taux d'engagement sera très faible par rapport à votre nombre d'abonnés.

Faire fuir vos amis en prenant en photo tout ce que vous mangez pendant un déjeuner. Organisez-vous bien et profitez du moment passé avec eux.

Crédits photographiques

Remerciements

Un immense merci à toutes ces personnes pour leur aide
inestimable et leur dur labeur : Sara Goldsmith, Alex Coco,
Jess Angell, Nia Pejsak, Nadine Andrews, Ruby Grose, Susie
Macintosh, Anna Pihan, et tous nos fantastiques contributeurs.

Notre découvreuse de talents

Début 2011, Jess Angell tombe amoureuse d'Instagram. À
Londres, elle réunit régulièrement une communauté d'utilisateurs
à l'occasion d'InstaMeets et de concours. Après avoir ranimé sa
passion pour la photo, Jess Angell change de carrière en 2013
et devient consultante Instagram à plein temps. Elle collabore
actuellement avec de nombreuses marques et entreprises voulant
découvrir l'application et améliorer leur compte, ainsi que leur
contenu marketing. Grâce à son travail, elle a voyagé dans le
monde entier et rencontré d'incroyables utilisateurs d'Instagram,
devenus depuis de très bons amis. Elle possède deux comptes très
suivis : **@MISSUNDERGROUND** et **@MISS_JESS**.